KB162859

나 「플럼」이라고 해요오. 보시다시피 흡혈귀죠오.

안녕~ 우후후 ☆ 여왕님 대리 아밀라라고 해~.

올~오케이~ ☆

소라는 흔 도시 한 장만 걸친 근육 노인이 최대한 눈에 들어오지 않도록 애쓰며 말했다.

스테프

「왜 저만
소라랑 이노 씨랑 똑같은──
남성복이죠?」

십조맹약

유일신의 자리를 손에 넣은 신 테토가 만든, 이 세계의 절대법칙.

지성 있는 [십육종족]에게 일체의 전쟁을 금지한 맹약──이는 곧.

【제1조】 이 세계의 모든 살상, 전쟁, 약탈을 금한다.

【제2조】 다툼은 모두 게임의 승패로 해결한다.

【제3조】 게임은 상호가 대등하다고 판단한 것을 걸고 치른다.

【제4조】 제3조, 에 반하지 않는 한 게임의 내용 및 판돈은 어떤 것이든 좋다.

【제5조】 게임 내용은 도전을 받은 쪽에 결정권이 있다.

【제6조】 맹약에 맹세코, 치러진 내기는 반드시 준수된다.

【제7조】 집단 간의 분쟁에서는 전권대리인을 세우기로 한다.

【제8조】 게임 중의 부정이 발각되면 패배로 간주한다.

【제9조】 이상을 신의 이름 아래 절대 변하지 않는 규칙으로 삼는다.

【제10조】──모두 사이좋게 플레이하세요.

CONTENTS 04

노 게임
NO GAME NO LIFE
노 라이프 4

카미야 유우 지음 · 일러스트 / 김완 옮김

표지 · 본문 일러스트
카미야 유우

이것은 바다보다도 먼.
아주 오래된 《동화》──.

어느 먼 나라에, 아름다운 공주님이 살았습니다.
머리카락은 달도 부러워할 황금색에.
눈은 별도 빛을 잃을 만큼 반짝였고.
목소리는 꾀꼬리도 부끄러워할 음색이며.
미모는 일곱 대륙에 퍼질 정도여서.
온 세상의 남자들이 공주님에게 청혼을 했답니다.

공주님은 말했습니다.
"세상에서 가장 멋진 선물을 주는 분께── 나의 사랑을 바치
겠어."
눈앞이 아찔해질 정도로 보물을 들고 수많은 남자들이 찾아왔
습니다.
금은보화는 말할 것도 없고.
수백의 영지와 수천의 성과 수만의 하인을 공주님에게 바쳤습
니다.

그러나 공주님은 만족할 줄을 몰랐습니다.

"좀 더 아름다운 것을. 더욱더 멋진 것을 가져오너라."

다시 수많은 남자들이 둘도 없는 보물을 가져왔습니다.

세상에 둘도 없는 사랑의 속삭임은 말할 것도 없고.

천하에 둘도 없는 비보(秘寶), 천상에 둘도 없는 신보(神寶)를 공주님에게 바쳤습니다.

그러나 공주님은 만족할 줄을 몰랐습니다.

어떤 아름다운 것도 공주님보다 아름답지 않았습니다.

어떤 사랑도 공주님에게는 당연한 것이었습니다.

어떤 보물도 공주님이 이미 가진 것이었습니다.

──공주님이 놀랄 만한 멋진 보물이란 이 세상에는 없었던 것입니다.

그래도 공주님은 말했습니다.

"어디── 좀 더, 더욱더 멋진 것은 없느냐?"

──그러던 어느 날.

한 왕자님이 공주님을 찾아왔습니다.

왕자님은 공주님이 이제까지 보았던 어떤 남자하고도 달랐습니다.

젊고 늠름했지만, 누추한 차림이었으며.

어떤 짐도── 보물도 가진 것 같지 않았습니다.

그러나 왕자님은 '조그만 보물'을 내밀며 말했습니다.

"저는 공주님이 절대 본 적이 없는 보물을 바치겠습니다."

그리고 왕자님이 내민, 이 세상의 그 무엇보다도 멋지고 아름다운—— 그 보물에.

공주님은 감탄하면서.

왕자님을—— 사랑하겠다고 맹세했습니다.

그 보물은————

....

"——이거야! 이거야말로 '진실한 사랑'이야!"

손에 들었던 책을 힘차게 덮으며 《그녀》는 외쳤다.

그렇게 《그녀》는 '진실한 사랑'을 찾아 긴 잠에 빠졌다.

동화에서 보았던 그 '조그만 보물'을 가진 남자가 언젠가 나타날 그 날까지.

——그것이 대체 무엇을 초래할지는 생각도 못한 채.

......《그녀》가 읽었던 것은 분명 《동화》였다.

그러나 그것을 찾아 잠에 빠진 《그녀》의 이야기는 《동화》가 아니다.

바다보다도 먼, 800년도 더 전의——

【익시드】라면 누구나 실소를 금할 수 없는, 바보스러운——
—— 《실화》다.

이지 스타트

워비스트의 나라—— 동부연합. 수도 '칸나가리'의 교외.

전(前) 동부연합 주 에르키아 대사—— 하츠세 이즈나의 저택.

전통 다실을 연상케 하는 목조 가옥, 풋풋한 다다미의 향기가 풍기는 어떤 방.

초목도 잠든 한밤중이라는 표현이 잘 어울리는 정적과 어둠 속에서 그림자 하나가 움직이고 있다.

"……시로, 자냐?"

그림자는 이불에서 부스스 일어나선 조그만 목소리로 말을 건다.

……대답은 없다.

곁에서는 그저 조용한 숨소리만이 들려올 뿐이다.

그 사실에 고개를 끄덕이고, 그림자는 부스럭부스럭 움직이기 시작했다.

재빨리, 그러나 소리 하나 내지 않겠노라 숨을 죽인 채 베갯맡을 뒤진다.

그리고 원하던 물건을 손에 쥐고는 방 한구석으로 기척도 없이 이동한다.

"좌측 클리어~. 우측 클리어~. 시로 외에는 그 누구도 없음~."

그렇게 중얼거린 그림자가 손에 든 것을 조작하자 어둠 속에 그의 얼굴이 환하게 드러난다.

흑발흑안이며, 눈 밑에는 인상을 악화시켜주는 다크서클이 뚜렷한 청년.

소라 18세. 이마니티 최후의 국가 에르키아의 두 '왕' 중 하나.

그런 왕이 주위에 세심한 경계를 펼치며,

왼손에는 태블릿 PC, 오른손에는 티슈 상자를 들고 드높이 중얼거렸다.

"쌓이고 쌓였던 독소를 뽑아낼 순간은—— 바로 지금이렷다!"

——변태였다.

그런 '왕'의 모습을 본다면 국민도 OH…… 하고 구슬프게 울음을 터뜨리리라.

그러나 잠시 한마디.

이세계에서 이곳 '모든 것이 게임으로 결판나는 세계'에 여동생과 함께 소환된 지 어언 2개월.

그런 눈 깜짝할 시간 동안, 막장까지 몰렸던 이마니티의 옥좌에 앉아, 여동생과 함께 무수한 사투를 벌여—— 마법과 이

능력을 구사해 속임수를 쓰는 다른 종족들을 제압하고.

이마니티의 국토를 탈환하였으며, 이제는 세계 제3위의 국가마저 집어삼키기에 이르렀다.

그는—— 소라는 그러한 격전^{게 임} 속에서.

무수한 여자 —— 인류만이 아니라 플뤼겔에 엘프에 워비스트까지 —— 와 몇 차례나 인연을 맺었으며.

게임 속에서 목욕탕에서 수없이 맨살을 드러낸 그녀들과 접했지만, 그럼에도 그때마다 눈을 돌리고 외면하고, 그러한 도원향의 잔재인 태블릿 PC 및 스마트폰에 기록한 동영상 또한 항상 여동생의 곁에 있었기에 오늘 이 순간까지 한 번도…….

그러니까, 어, 그 뭐랄까.

써먹을 수 없었던 것이다——!

그런 사나이를 그저 변태라 단언할 수 있겠는가.

——오오 물론 단언할 수 있고말고. 여성들이여, 한껏 비난할지어다.

그러나 남성 제군이여, 그대들이라면 이해하리라!

18세 동정남이 오늘까지 참고 참았던 강철의 정신을 생각하면 눈물이 쏟아지지 않는가!

이는 숫제 존경해야 마땅하지 않겠는가.

이는 숫제—— '사랑' 이라 불러야 마땅하지 않겠는가.

아직 어린 여동생은 물론.

주위를 에워싼 수많은 소녀들을 자신의 충동으로부터 지켜

내고자 하는——

　그 존엄하고 고결한 뜻이—— '사랑'이 아니고 그 무엇이랴.

　……반론의 여지는 있겠지만—— 아니, 없다!

　없, 겠지…… 아마도.

　"변태라 부르고 싶으면 부르든가. 이제는 한계——가 아니고 이것은 숭고한 행위이다!!"

　그런 비장한 각오를 가슴에 담고 그는—— 소라는 바지에 손을 가져——

　"저, 저기요오…… 죄, 죄송한데요오……."

"꺄아아아아아아아아아아아아아아아아아아아아아아아!"

　등 뒤에서 들린 목소리에 여자아이 같은 비명을 지르며 바닥을 굴렀다.

　비명에 반응한 것은—— 세 사람.

　"……빠야…… 할 거면, 조용히 좀 해……."

　차는 척을 그만두고 일어나 붉은 눈으로 흘겨보는 순백색 장발의 여동생—— 시로의.

　"어라…… 다른 사람도 있었잖아, 요. 이즈나도 같이 잘래, 요."

　천장에서 동물귀 흑발 머리를 쏙 내민 어린 워비스트 소녀 —— 하츠세 이즈나의.

　"마스터습격이옵니까날려버려도되겠사옵니까모가지를말

이옵니다?!"

허공에 출현한, 머리 위에 기하학적인 광륜을 띄운 플뤼겔 소녀—— 지브릴의.

각자 의도가 다른 세 가지 목소리가 울려 퍼지는 가운데.

다다미 위를 구르면서 바지를 고쳐 입은 소라는 견디지 못하고 절규했다.

"이 세계에는 '프라이버시'란 개념도 없냐!! 나 너무 침해 당하는 거 아냐?!"

그리고 지퍼까지 다 올렸을 때에야.

"그보~~다도 누구야 너는! 남의 현자적인 행위를 엿보다니!"

소라가 가리킨 방향으로, 비로소 알아차렸다는 듯 모두가 시선을 모았다.

그곳에는 어둠에 녹아드는 것처럼 한 사람의 그림자가 오도카니 앉아 있었다.

어두운 방이라지만—— 그래도 지나치게 부자연스러울 정도로 존재감이 없는 그림자.

"아니——?"

손가락에 밝힌 마법의 빛으로 방을 비춘 지브릴이 불쾌하는 듯 입술을 일그러뜨렸다.

"제게 들키지 않고 마스터께 접근할 수 있었던 자가 누군가 했더니—— '흡혈종'이었을 줄이야."

"다, 담피르?"

그 말에 소라 일행은 다시 '그림자'에 시선을 돌렸다.

빛을 받아 겨우 보인 것은 어둠을 짜 만든 것 같은 까만 옷을 입은 소녀였다.

푸른 단발, 형형히 요사스럽게 빛나는 보라색 눈동자, 하얀 송곳니, 등에는 박쥐를 방불케 하는 조그만 날개.

인간이라면 10대 중반 정도 되는 소녀의 모습이라고는 하지만, 듣고 보니 그것은 그야말로 '드라큘라'였다.

—— '죽음의 초월자', '불사왕', '어둠의 지배자'…….

무수한 별명이 나타내듯 외경의 대상이 되는 그들—— 그러나 이 소녀의 경우.

"……이, 이젠 못 참겠어요오……. 부탁이에요오……. 사, 살려……주세요오…….."

——행복과는 인연이 먼 얼굴과 초췌하기 그지없는 목소리가 그런 이미지를 싹 날려버리고 있었다.

"언제 봐도 잠입과 환혹—— 몰래 숨어 돌아다니는 데에는 찬란한 재능을 가졌군요."

그렇게 비아냥거린 지브릴이 웃음을 지으며 말을 이었다.

"아쉬울 따름입니다. 처음으로 재능을 의미 있게 활용하여 남모르게 멸망했으리라 생각했거늘, 유감천만이에요."

"느, 늘 느끼는 거지만 은근슬쩍 신랄하다, 지브릴."

당장에라도 숨이 끊어질 것 같은 소녀에게 매도를 퍼붓는 모습에는 아무리 소라라 해도 얼굴을 찡그리지 않을 수 없었다.

그러나 천장에서 소리도 없이 내려온 이즈나 또한 고개를 갸웃했다.

"이즈나도 흡혈종은 전부 길바닥에서 뒈졌을 거라고 영감에게 들었다, 요."

"……뭐?"

지브릴의 폭언은 그 어떤 가감도 없는 진심이었다. 그러나 이즈나의 말은 그저 말투가 이상할 뿐 악의는 없었다.

다시 말해 일찌감치 멸망했어야 할 종족이란 뜻——?

"……【익시드】…… 위계서열 '12위' …… '담피르' ……."

당황하는 소라를 거들고 나선 것은 시로였다.

이불에서 기어나오며, 암기했던 정보를 읊는다.

"……다른 【익시드】……에게서, 피—— 영혼을 빨아, 살아가는…… 종족."

그리고 이어진 시로의 말에.

"……십조, 맹약……."

아, 소리를 내며 입가를 실룩거렸다.

—— '십조맹약'.

유일신 테토가 규정한 '디스보드' 의, 반드시 지켜져야 하는 맹약.

제1조—— 이 세계의 모든 살상, 전쟁, 약탈을 금한다.

이 규칙을 소라가 아는 '담피르' —— 다시 말해.

상대를 습격하여 깨물어—— 상처를 입혀 피를 빼앗는 종족에게 적용시킨다면.

"엑, 그럼 뭐야. 얘들은—— 허락이 없이는 피를 못 빨아?"

당장에라도 숨이 끊어질 것 같은 소녀의 침묵이 소라의 말을 긍정했다.

……그 얼굴에 떠오른 불운을 이해한 소라에게 지브릴이 고개를 끄덕였다.

"마스터, 감히 첨언드리자면 담피르에게 물릴 경우——"

"흡혈귀가 된다…… 그 말이구만. 뭐, 흔한 얘기지."

그렇다면 솔선해서 흡혈귀가 되고 싶은 사람이 아니고서야 허락을 해줄 리도 없고——.

"……예? 아니오, 그런 일은 없나이다."

"어? 왜? 정석이잖아?"

"담피르는 혈액이나 체액에서 '영혼'을 빨아들이고 이를 자신의 영혼과 혼합하여 성장—— 힘을 증폭시키는 종족. 이때 물린 자 또한 영혼의 혼합이 발생하여—— '특수한 병'을 앓게 되옵니다."

다시 말해——

생글생글 웃으며 지브릴이 단언했다.

"통상 백해무익하옵니다."

"……뭐야, 그 구제할 길 없는 드라큘라."

듣기만 해도 눈물이 날 것 같은 '담피르' 소녀를 다시 돌아보며 소라가 중얼거렸다.

'그대에게 늙지 않는 몸과 강대한 밤의 힘을 내려주겠노라.'──

그런 전형적인 유혹도 통하지 않는, 그냥 병원체 보유 종족.

그렇겠네. 그 정도면 멸망하지 않았다고 놀라는 것도 당연하지.

하지만 그렇게 되면 오히려 소라 또한 의문을 품게 된다.

──어떻게 멸망하지 않았대?

"부……부탁이에요오……. 저, 죽을 것…… 같아요오……. 부, 부디 '영혼' 을……."

생각에 잠긴 소라에게, 소녀가 애원하듯 숨을 헐떡이며 가느다란 목소리로 말했다.

죽을 것 같다는 말 그대로 메마르고 갈라진 목소리── 그러나.

"……아니, 그치만 영혼을 제공하면 '병' 에 걸린다는 말을 듣고도 고개를 끄덕이겠냐고. 바보 아냐? 나가 죽어."

하지만 말은 그렇게 했어도 눈앞에서 죽는 꼴을 보면 멋들어지게 꿈자리가 뒤숭숭해질 터.

어떻게든 해 주고 싶기는 하지만.

동정남에 보균차라는 것도 어째──.

그렇게 생각하며 머리를 긁어대는 소라. 그러나──

"아, 마스터. 설명이 부족했나이다. 물리지만 않는다면

'병' 에는 걸리지 않사옵니다."

——응?

"물어서 이빨로 흡혈하는—— '영혼혼합' 이 아니고선 성장
은 불가능하오나, 생명유지만이라면—— 대상에게서 체액을
'직접 경구섭취' 하여 연명할 수 있나이다."

"……말인즉슨?"

"피 다음으로 '영혼' 농도가 높으며 물지 않아도 섭취할 수
있는 체액, 다시 말해."

——이어진 지브릴의 말을 들은 소라의 거동은.

"정애——"

"괜찮나 아가씨?! 지금 즉시 구해주지! 누가 죽게 내버려둘 줄 알고!!"

그 자리에 있던 전원—— 시로는 물론이고.

워비스트와 플뤼겔의 눈으로도 고작 잔상밖에는 포착할 수
없었다.

——한순간이라고 부르기에도 미적지근한 가공할 태도 표변.

담피르 소녀를 끌어안고 방 한구석까지 이동한 소라는 정중
히 눕히더니——

깊이 주억거렸다.

"과연. '흡혈귀' 가 아니라 '음마(淫魔)' 란 말이렷다!"

그거 멸망하지 않을 만하네.

어찌 멸망시킬 수 있겠는가——!

그렇게 내심 절규하며 벨트를 풀려던 소라. 그러나.

"……정액이 뭐야, 요?"

"……빠야……. 청소년 이용불가 전개…… NG……."

아직 18세가 못 된 미성년자 두 명의 시선, 다시 말해.

—— '므훗 이벤트' 강제종료의 신호가 날아들었다.

"……또야. 또냐고."

소라는 눈물을 머금으며 하늘을 우러렀다.

이번에도 여느 때처럼.

성사 직전에 노 컨택트로 끝나야 하느냐, 소라 동정남 18세여.

무수한 도원향에서 눈을 돌리고 외면하고—— 앞으로도 그렇게 살아가야 한단 말이냐?

'……아니잖아. 그건—— 아니잖아!!'

빠드득 소라의 어금니가 울부짖었다.

언제나 무언가에 저항하며 살아왔던—— 그 머리를!

쥐어짜내 넘어서야 하지 않겠는가—— 지금 이 순간을!!

——그렇게 소라는 돌아서며.

여동생의 싸늘한 눈빛을 결연히 바라보았다.

"……시로, 옷을 입은 채 물에 빠진 사람을 상상해보렴."

"……응."

"적절한 인공호흡을 실시하고, 체온을 빼앗아가는 젖은 옷을 벗어 따뜻하게 해 준다…… 이것이 청소년 이용불가냐?"

"······················아, 니······."

"그렇지. 어째서일까? 남을구하는행위이기때문이다인명구조이기때문이다존엄한행위이기때문이다!!"

소라는 요란하게 고개를 끄덕이더니 한 점의 티도 없는 진지한 눈빛으로.

방 한구석에 누워 있는 소녀── 본격적으로 초췌해져 말도 하지 못하는 모습을 가리키며.

"그래. 우리 인류의 눈으로 본다면 물론 비상식적으로 여겨지겠지. 그러나 이것은 의심할 여지없는 인명구조, 존엄한 행위! 따라서 이 오빠는 어쩔 수 없이! 부끄러움을 무릅쓰고 다른 종족의 문화에 감히 몸을 던져 목숨을 구하겠노라!! 그런고로 뒤를 돌아 저쪽을 봐 주지 않겠느냐~ 응~?"

──완벽논리무장, 이 자리에서 완성되다.
──나는 반역자로소이다!

"······체액, 이면······ '타액'도, 괜찮아······?"

시로의 중얼거림 한마디에 1초도 못 되어 수명을 다한 퍼펙트 로지컬라이즈(^ㅁ^)와 함께 소라가 뻣뻣하게 굳었다.

지브릴은 조금 생각에 잠긴 다음, 고통받는 종족을 어여삐여기는 미소로.

"문제는 없을 것으로 사료되옵니다. 영혼의 함유량은 매우 적겠지만 인명구조에는 충분하지 않을는지요?"

"······응. 그럼, 시로가······."

그리고 시로는 오빠의 발치에 누워 있는 담피르 소녀에게 다가가.

소녀의 얼굴에 자신의 얼굴을 가까이——

"자, 잠까안 시로! 그건…… 뭔가 아니야! 이 오빠는 용납 못한다!"

"……인공호흡…… 존엄한, 행위……."

황급히 제지하려는 소라에게 시로는 눈을 흘기며 그를 밀쳐 냈다.

서둘러 뇌세포를 활성화시켜 어떻게든 반론을 짜내려 하는 소라—— 그러나.

'——아니지, 여자끼리 키스하는 거면 딱히 상관없지 않나?'

청소년 이용불가는 아니다. 건전할 것이다. 게다가 정진정 명 구명행위다.

덧붙여 말하자면 소라도—— 뭐, 백합을 싫어하는 것은 아니……지만.

'……시로가 그걸 하는 건 어쩐지 싫은데.'

——어째서?

한순간 떠오른 의문. 그러나 소라는 고개를 가로저었다.

"아니지! 어린 여자애가 딥 키스라니, 정조교육상 아웃! 기 각!!"

깊이 생각하지도 않고 결론을 내리더니 서둘러 주위를 둘러 본다.

지루해하는 이즈나. 흘겨보는 시로—— 그리고.

"지, 지브릴! 너의 체액——"

이즈나도 어리고, 시로도 기각. 이럴 때 스테프가 없는 것이 애석했지만——.

"마스터의 명령이시라면—— 자유로이 피를 빨 수 있는 만큼 차라리 모기가 낫겠다 싶은 가엾은 결함생물이라 생각하여 기꺼이 입맞춤을 하겠사오나—— 구명행위를 바라신다면 권해드리기가 어렵나이다."

살짝 한기가 들 정도의 독설에 얼굴을 굳히는 소라에게 지브릴이 다시 말을 이었다.

"저의 체액을 준다면 아마도 증발할 것이옵니다. '영혼'의 그릇도, 농도도 너무나 다르기에."

——【익시드】위계서열 제6위이신 이 플뤼겔 님은.

어째서 이렇게까지, 까지, 까지…… 하나같이 오버스펙이란 말인가.

"……그럼, 역시…… 시로가……."

그렇게 손가락으로 머리를 쓸어올리며 시로가 소녀에게 얼굴을 가져가고——

"——————그, 그거다아아! '땀' 이다아아!!"

순간적으로 끓어오른 '대안' 을 터뜨린 소라의 뇌가 망설임 없이 입을 움직였다.

"따, 땀도 '체액' 이잖아! 어어어떠냐아아아지브릴?!"

"……어떨는지요? 땀에 포함된 영혼의 양은 지극히 미미하리라 사료되오나……."

"다다다, 달리 방법이 없잖아! 해볼 수밖에!"

그리고 소라가 무언가 행위에 나서기도 전에.

시로가 천천히 니삭스를 벗더니 담피르 소녀의 눈앞에 발을 내밀었다.

"……무릎, 꿇고…… 핥아."

이마니티의 '여왕', 시로.

──그 직함에 부끄럽지 않은 가학적인 미소.

"동생아, 너의 히든 S 속성은 이미 알고 있었다만 망설임 제로라면 이 오빠는 좀 SHOCK다……."

얼굴을 실룩거리며 소라는 털썩 주저앉았다.

반면, 거의 시체로 변했던 담피르 소녀는 꿈틀 움직이고는.

킁킁, 몇 차례 코를 울리는가 싶더니 번쩍 눈을 크게 뜨고 벌떡 일어나,

달려들듯 시로의 발을 덥썩 입에 넣고──

"──뭐, 뭔가요 이거! 맛있어요너무맛있어요오!"

……그 광경을 냉랭하게 바라보며 일동은 생각했다.

──【익시드】위계서열 제12위 '담피르'.

6위인 플뤼겔, 7위인 엘프보다도 훨씬 밑이라고는 하지만

14위의 워비스트보다도 높은 종족.

그런 존재가 바닥에 엎드려 최하위 소녀의── 발에서 우러나는 맛을, 절찬하는 광경.

"이거, 건전한가……?"

──그야 물론 청소년 이용불가는 아니다.

그러나 무언가가 완전히 잘못된 것 같다.

요리만화에서 최고의 요리를 먹은 캐릭터처럼 주위에 꽃마저 피울 기세로 맛있어 맛있어를 연호하며 여동생의 발을 할짝거리는 담피르 소녀──.

"……저기 말야, 담피르란 것들은 변태야?"

자신의 행위는 에베레스트 꼭대기로 미뤄놓고 소라는 지브릴에게 물었다.

"어떨는지요……. 하오나 두 분 마스터의 영혼이라면 정말로 맛있지 않을까 하옵니다만."

"──어? 그건 왜?"

"그야 물론 두 분 마스터만큼── 확고하고 강렬하고 개성 넘치고 진귀하며 고결한 영혼의 소유자는 이 세계를 샅샅이 뒤져도 그리 없을 것이기 때문이옵니다."

지브릴의 말에, 구경만 하던 이즈나도 크게 고개를 끄덕였다.

"……소라랑 시로의 영혼…… 찌들지 않은 냄새, 요. 싫지 않아, 요."

그러나 소라는 진저리를 치며 두 시선을 돌아보았다.

　"……이거 혹시 기분 탓입니까요? 그건 곧 '고집불통', '자기중심적', '삐딱함', '아웃사이더', 심지어 '동정남에 처녀'라고 돌려서 말하는 것 같은 기분이 드는뎁쇼?"

　"무슨 말씀을—— '미지의 영혼'을 가지셨다는 뜻이 아니겠나이까. 이보다 어찌 위대할 수 있겠나이까……. 솔직히 저도 맛보고 싶어졌나이다. 으에헤헤~."

　"…………소라, 소라. ……한 입만 먹어봐도 되냐, 요?"

　당장에라도 침을 흘릴 것 같은 얼굴로 올려다보는 두 시선에 소라는.

　"저기, 지금 이 자리에 제대로 된 놈은 하나도 없어?"

　"……빠야, 가…… 할, 소리야?"

　——상식인이 없는 이즈나의 저택에서 시로의 태클만이 허무하게 울려 퍼졌다.

　————…………．

　기력을 되찾고, 기분 탓인지 피부의 윤기도 돌아온 담피르 소녀가 말했다.

　"하아…… 정말 맛있었어요오……. 잘 먹었습니다아."

　"……으으…… 끈적거려……. 씻어야, 겠어……. 우우…… 목욕 귀찮아……."

　황홀해하며 합장하는 소녀와는 대조적으로 시로는 후회하

는 기색이었으나── 그건 둘째 치고.

　이제야 질문을 할 수 있겠다고 소라는 소녀를 바라보았다.

　"──그래서, 결국 넌 누군데?"

　"아, 소개가 늦었네요오. 전 '플럼'이라고 해요오. 보시다시피 담피르랍니다아."

　몸을 일으켜 허리를 펴고 정좌한 소녀── 플럼이 진지한 낯빛으로 말을 이었다.

　"오늘은요오, 어…… 청이 있어서 찾아왔어요오."

　음, 음, 중얼거리며 무언가 메모를 꺼낸다.

　어흠 헛기침을 한 차례.

　천천히 바닥에 손을 대고 고개를 조아리더니, 대본을 읽듯 뻣뻣한 어조로 말한다.

　"보, 보기 흉한 첫 대면이 된 점 용서해 주세요오……. 플뤼겔을, 동부연합을 꺾은 이마니티, 에르키아의 왕. 소라 님과 시로 님── 저희 종족을 구해주세요오!"

　……그 말에 소라는 모든 것을 이해한 듯.

　"아── 피 대신 정액이라도 좋고, 살아남기 위해선 허락이 필요하다── 그리고 구해달라고 하면."

　그런 생각에서 도출될 수 있는 상황── 설정을 한번 그려보자.

　──과연 어떨까. 그려볼 수 있겠는가.

즉시 결단한 소라는 상큼한 미소를 지으며.

"야게임이나 알아봐. 그럼 이만. 조심해서 돌아가라고."

다른데

"너무해요오오으아아아아아기다려주세요오오오오오!"

청소년 이용불가인 종족을 가차 없이 싹둑 내쳐버렸다.

■ ■ ■

──종족을 넘어선 공동투쟁.

소라가 제창한 '이 세계를 클리어어하기 위한' 장대한 계획.

출신, 사상, 문화가 다른 것만으로도 무수한 문제를 품은 그것을.

종족의 벽마저 넘어 실현하고자 하는 황당무계한 시도.

다시 말해── '다민족국가'.

모든 것이 게임으로 해결되는 이 세계라면 이론상으로는 가능하리라.

어디까지나 이론상으로는── 그러나.

"……참말로 갸들한테 맡기도 될라나."

종족을 넘어서, 종의 피스를 통합해, 유일신 테토에게 도전하려는 두 사람을 생각하며 입가를 치켜세운다.

그 황당무계한 몽상을 내건 '피스' 는.

과연 '보드' 에서 뛰쳐나갈 수 있을까.

그러기 위한 조건을 달성할 수 있을까──.

여우를 연상케 하는 동물귀와 긴 머리카락, 똑같은 황금색 꼬리 두 개를 가진 소녀.

동부연합—— 워비스트의 전권대리자—— '무녀'.

자신의 신사 안뜰, 연못 위에 드리워진 붉은 다리의 난간에서 수면에 비친 달을 바라보며—— 생각한다.

장애는 많으리라고.

종족의 울타리를 넘어서는 것이 단 두 종족—— 이마니티와 워비스트만이라 해도 지극히 어려울 것이다.

무수한 부족으로 나뉘어 수천 년 동안 내란을 되풀이했던 워비스트.

모든 것을—— 자신의 본명마저도 잊을 정도로 내기를 해, 겨우 동부연합이라는 하나의 국가로 통솔한 '무녀'.

……그러나 그렇기에 그 어려움을 뼈아플 정도로 잘 안다.

하물며 그것이 십육종족으로 이루어진 다민족국가라면——보통 수단으로는 불가능할 것이다.

만일 가능하다면 그것은 그 시점에서 이미…….

"마, 쪼매 더 지켜보기는 해야긋지만—— 쿠후후."

——과거에는 워비스트의 통일이라는 꿈을 내걸고 이를 이루어낸 자신이.

언제부터인가 상당히—— 보수적으로 변했다고 자조하며 '무녀'는 잔에 술을 따랐다.

"다들, 사이좋게, 플레이합시다……라꼬."

'십조맹약' …… 제10조를 읊조리며 단숨에 잔을 기울인다.

——한때는 도전하려 했으며, 버렸던 것.

끝내고 말았던 그 꿈 너머—— 그리고 그 너머.

자신이 포기하고 말았던 그 새로운 이야기를—— '그들' 은 자신감에 가득 차 말했다.

그러나——

"먼데 꽃에 정신이 팔리믄, 발밑에 돌에 걸리 넘짜는 벱이니."

꿈이라면 누구나 꿀 수 있다.

그러나 꿈을 말하려면—— 자격이 필요하다.

모든 손패를 드러내는 것은…… 이를 지켜본 다음이어도 늦지 않다.

'무녀' 가 허공에 손을 내밀자 손바닥이 빛을 발하더니—— '워비스트의 피스' 가 나타났다.

유일신이 이 세계—— '십조맹약' 을 설정했을 때 각 종족에게 나눠주었던 피스.

【익시드】 각 종족의 전권대리자만이 현현시킬 수 있는, 빛으로 만든 듯 광채를 발하는 피스.

——그것의 진정한 의미를 생각하며.

빈 잔을 난간에 놓고 손가락으로 종의 피스를 매만지며 무녀는 그저 하늘을 우러렀다.

자신에게 꿈을 버리게 했던 존재에게, 무녀는 비아냥거리듯
웃었다.

──— '그때' 가 그리 멀지 않았기를 내심 바라며.

● 제1장 해후 [Encounter]

에르키아 왕국.

루시아 대륙 서부에 위치한, 【익시드】 서열 16위인 이마니티의 마지막 나라.

보름 전 동부연합과의 일전에서 '왕' —— 소라와 시로가 승리하여 국토를 두 배까지 되찾았으며.

……그와 함께 고민도 두 배로 늘어난 나라였다.

그중 가장 큰 고민은 두 가지.

첫째는 '왕' —— 소라와 시로가 내세운 동부연합과의 '연방' 구상.

종족의 틀을 넘어선 국가를 구축한다는—— 전대미문의 난제였다.

옛 국토의 일부를 되찾았다고는 해도 에르키아에는 그 토지를 활용할 기술이 아직 없었으며.

한편 동부연합은 대륙영토를 빼앗기고도 세계에서 손꼽히는 국력을 가진 대국.

——국력, 통화, 사회제도는 물론 종족과 언어까지 다른 두

나라를 평등하게 통치한다.

그것이 얼마나 어려운 일인지는 굳이 말할 필요도 없으리라.

인류 사상 최초의 무리난제였다.

그리고 두 번째는——.

"나 원——."

손에 펼친 자신의 손패를 노려보며 붉은머리 소녀는 한숨을 쉬었다.

스테파니 도라.

통칭 스테프.

옛 왕족—— 선대 국왕의 손녀답게 기품으로 넘쳐나며, 수면부족과 짙은 피로에 찌들었음에도 미모는 쇠하지 않았으나 —— 지금은 분노로 일그러져 불온한 기척을 뿜고 있었다.

그 이유는 '두 번째 고민'이었다.

다시 말해——

"열라리 힘들어 죽겠는데, 이럴 때 언제까지 자리를 비우고 있을 거냐고요 이놈의 임금님들은~!!!"

——에르키아 왕성 대회의실.

울려 퍼진 노성에 그 자리에 있던 모두가 몸을 움츠렸다.

"……도라 공, 마음은 이해하오나 숙녀 된 몸으로 '열라리' 는 좀 그렇지 않소이까."

다독이듯 입을 연 것은 스테프의 곁에 선—— 하얀, 초로의 사내.

얼굴에는 스테프에게 동조하듯 씁쓸한 빛을 내비친다.

개를 연상케 하는 살짝 늘어진 귀와 꼬리. 하오리와 하카마 너머로도 알아볼 수 있을 만큼 체격이 좋은 워비스트―― 하츠세 이노.

전 동부연합 주 에르키아 대사 하츠세 이즈나의 할아버지이며 지금은 부재중인 에르키아 왕―― 소라와 시로에게 이 무리난제를 떠맡은…… 스테프에 이은 또 다른 피해자였다.

"도라 공……? 어, 그거, 저한테 하신 말씀인가요?"

한 박자 늦게 반응한 스테프에게 이노가 고개를 끄덕였다.

"예. 공식석상이므로 그렇게 불러야 하지 않나 판단했습니다만 무언가 문제라도?"

"대체 누구 이야기인가 했네요. 부디 '부재왕 두 사람의 따까리' 라고 불러주시지요."

자포자기의 웃음을 띤 스테프에게 이노는 어깨를 으쓱했다.

"외람되오나 그래서는 저도 똑같은 호칭을 받아야 하므로……. 그보다 도라 공, 눈앞에 집중하시는 편이 좋지 않겠습니까?"

이노의 시선을 따라 스테프는 상황을 떠올리고―― 자신을 타일렀다.

"네…… 그랬, 죠……."

맞아, 지금은―― 중대한 게임을 하는 중이지, 라고.

게임 자체는 그저 단순한 포커였다.

와일드카드 규칙을 도입한 것 외에는 딱히 특이할 것도 없는 포커.

둥그런 테이블을 에워싼 대전상대는 에르키아 국내의 귀족들이다.

——에르키아가 주도하는 동부연합과의 '연방' 구축.

단숨에 두 배로 늘어난 에르키아의 영토를 대체 누가 어떻게 관리하고 활용할 것인가—— 그 거대한 이익에 달려든 유력제후들.

현재 상황에서 평등한 '다종족국가'란 그림의 떡이나 마찬가지다.

아무리 제도를 정비한다 한들 국력의 차이는 뒤집을 수 없다.

자유경제를 도입했다간 에르키아의 산업은 남김없이 파멸하고 말 것이다.

따라서 동부연합이 원하는 '대륙자원'을 어떻게 관리할 것인가.

그 한 가지에 에르키아의 모든 운명이 걸려 있다 해도 과언은 아니다.

——이렇게 되면 자신의 권익을 늘리고자 뭇 권력자들이 무리를 지어 달려드는 것 또한 필연.

그 때문에 이제는 입법권까지 맡고 있는 스테프를 상대로 자신의 요구를 관철하고자 게임을 청하는 에르키아의 제후는

끊이질 않았다.

결과—— 스테프는 벌써 보름 내내 제대로 잠도 못 자면서 게임을 하고 있다.

'그것만 놓고 본다면 별 상관은 없죠…… 네.'

내심 스테프가 중얼거렸다. 왜냐하면—— 그것이야말로 함정이기에.

모두 예정대로. 만사 순조——.

그렇다…… 이 '순조로움'만 아니라면.

"'전액 레이즈'예요——. 걸친 것 벗어놓고 냉큼 돌아가시지요."

……숙녀의 기품 따위 어디다 내팽개치고 왔는지.

피로에 의한 짙은 다크서클과 분노로 일그러진 얼굴은 마치——……

그들이 두려워하는 '왕'을 연상케 하여 제후들은 서로 얼굴을 마주보았다.

그리고 선택한 것은 '폴드'—— 스테프의 제안을 전면적으로 받아들인다는 것을 의미했다.

그러나—— 스테프는 요란하게 혀를 차며 의자를 박차고 일어났다.

"……어차피 내 제안을 받아들일 거였으면 처음부터 쓸데없는 수고는 끼치지 말아줄래요?!"

내던지듯 펼친 그녀의 손패는.

——*파이브 오브 어 카인드*.

항복하지 않았다면 선고대로—— 모두 한꺼번에 파멸했을 패에, 제후들의 얼굴에서 핏기가 가셨다.

그러나 그런 모습에는 신경도 쓰지 않고 발을 돌리는 스테프.

"대박 아니면 쪽박! 파멸할 각오 정도는 하고 오시지요!!"

그리고 스테프를 대신해 하츠세 이노가 씨익 웃으며.

"그러면 【맹약에 맹세코】 결정한 대로—— 기억을 받아가겠으니 언짢게 생각하지 마시길."

■　■　■

——말하자면 '권리쟁탈'이다.

되찾은 영토를 적절히 운영하여 에르키아의—— 연방의 국익에 공헌한다.

싫어도 누군가에게 맡겨야만 하며, 성공하면 이익이 생겨나는 것도 당연.

——오히려 그렇게 해야만 한다. 그건 상관없다.

문제는 귀족들이 '원래는 누구의 영지였는가'를 주장하고 나섰다는 점이다.

---

*파이브 오브 어 카인드: 포커게임에서 같은 등급의 카드 5장을 가진 경우. 기본룰에서는 불가능 하지만 와일드 카드가 있을 경우, 가능한 최고의 패.

따지고 보면 선대 국왕—— 스테프의 할아버지가 패배했기 때문에 빼앗긴 제후의 영토였다.

멋대로 내기의 칩이 되었으니 이의도 있었으리라. 불만도 있었으리라.

그러나—— 그렇다면 왜 그것을 당시 선왕에게 게임으로 추창하지 않았단 말인가.

"책임은 치고 싶지 않고! 이권을 잃으면 '왕' 탓이라고 지껄여대고! 소라와 시로가 되찾아주면 자신에게 내놓으라고 졸라대고—— 대체 귀족들은 언제부터 수치를 내팽개쳐버린 거죠?!"

"오래 가다 보면 귀족제란 원래 그렇게 되는 것 아니겠습니까."

언짢음을 감추려고도 하지 않고 에르키아 성의 복도를 걷는 스테프의 뒤에서 이노가 쓴웃음을 지었다.

귀족이라서 나쁜 것이 아니다.

썩어도 그들은 통치자다. 영지를 경영하고 관리하는 뛰어난 노하우를 가졌다.

의욕과 능력만 있다면 영지를 맡겨도 좋다—— 그것이 스테프의 생각이었다.

문제는——

"그렇게 대드는 귀족 놈들이—— 하나같이 얼굴에 '단물만 빨고 싶고 귀찮은 일은 사양할래요'라고 적어놓았다는 점이에요……!!"

——심지어 그런 자들일수록 하나같이 무시할 수 없는 유력 제후였다.

잘못하면 권력투쟁—— 폭동이라도 선동해서 국정을 기능 마비로 몰아갈 구실을 준다.

그렇기에——

"좋지 않습니까…… 다루기 쉬워서."

한 가지 계략을 고안한 것이 스테프의 뒤에서 어두운 웃음 을 짓고 있는—— 하츠세 이노였다.

소라와 시로는 부재중이며 '우왕의 손녀'가 대리로 국정을 맡고 있다…… 그런 소문을 퍼뜨린다.

지금이 기회라고, 권리를 주장하며 나선 상대를 꺾은 다음 스테프의 절충안을 받아들이게 하고.

아울러 '게임 중의 기억을 모두 잃는다.'고 맹세케 해 담담 히—— '밟아나간다'.

이로써 스테프가 실시할 정책과 이권의 조정은 저항 없이 추진할 수 있다.

매우 유용하면서도 이노다운—— 여러 부족으로 이루어진 동부연합다운 함정이었다.

그러나 그 함정이 이렇게까지 원활하게 돌아가는 이유와 빈 도를 생각하면——

"대체 날 얼마나 우습게 보고 있는 거예요! 완전히 봉이잖아요!"

——얼마나 자신을, 나아가서는 할아버지를 얕잡아봤는지 뻔히 보였다.

"진정하십시오, 도라 공……. 그 덕에 이렇게 모든 것이 순조로이 진행되고 있는 것도 사실 아닙니까. 우매한 놈들의 멸시 따위 오히려 환영—— 웃음을 지으며 이용해주면 되는 것이지요."

"……이노 씨, 제발 그 호칭은 좀 관두실 수 없어요? ——스테프면 족해요."

——옛 왕가, 도라 가문 당주 스테프의 작위는 당연히——'공작'이다.

그러나 해쓱해질 정도로 피로에 찌들어 스테프는 말을 이었다.

"그냥 따까리 주제에, 엄청 잘난 것 같잖아요……."

"하오나 소라 님과 시로 님이 안 계신 지금은 스테파니 님이 사실상 왕권대행—— 재상이시니, 귀공은 현재 이 에르키아에서 가장 높은 신분을 가진 것이 아닌지요?"

연극적인 어조로 이노가 말을 이었다.

"——이마니티에게 남은 마지막 국가 에르키아의 재상이자 선대 국왕의 손녀 도라 공작. 에르키아 국왕에 의한 동부연합 병합, 다종족국가 구축이라는 역사상 최초의 일대 프로젝트를 일임받은 애젊은 미모의 재녀……! 어떻습니까, 이런 직함은?"

――대체 누구 이야기를 하는 거람.

스테프는 아연실색 천장을 올려다보며.

"영웅담 속의 히로인도 알고 보면 그냥 따까리라. 아이러니 해서 참 좋네요."

집필해서 출판하면 어떠냐고 되묻는 스테프에게 이노가 쓴 웃음을 지으며 화제를 바꾸었다.

"하오나 지난 보름 동안 한 번도 패배한 적이 없다니, 스테파니 님도 대단하십니다."

"상대가 너무 약한 것뿐이에요."

이노의 본심에서 우러나온 칭찬을 일축하며 스테프는 눈살을 찡그렸다.

"상대가 소라나 시로였다면 독설 1,200마디쯤 얻어먹고 되레 이용당했을 시시하고 조악한 속임수만 쓰고들 있으니―― 우습지도 않지요."

"그야 물론 그렇습니다만……."

이노는 생각했다. 하지만――

처음에는 스테프도 이노의, 워비스트의 오감으로 서포트를 받았다.

그러나 스테프가 연승을 거듭함에 따라―― 이제 이노는 그저 곁에만 서 있을 뿐이었다.

한없이 자신을 비하하는 소녀…… 그러나 그녀는 이미――

충분하고도 남을 만큼 강하다.

비교대상이 『　』이어서는…… 상대가 지나치게 나쁘다고 할 수밖에.

이제는 평범한 이마니티 중에서 그녀에게 이길 수 있는 자들은 극히 드물 것이다.

그런 이노의 감상 따위 알지도 못하고 스테프의 푸념은 이어졌다.

"게다가 내 속임수는 하나도 알아차리지 못하는걸요. 혹시 그냥 날 수면부족으로 만들어서 과로사시키려는 것이 제후들의 목적 아닐까요?!"

"……스테파니 님, 점점 소라 님이나 시로 님을 닮아가시는군요."

——우뚝.

스테프는 바닥을 박차던 발을 멈추었다.

"————지금, 뭐라고 말씀하셨나요?"

뿌드드득, 소리가 날 것 같이 목만 뒤로 돌려선.

"동부연합에서 탱자탱자 놀고 있는 탕왕하고 닮았다고——그렇게 말씀하셨나요?!"

"지, 지, 진정하십시오! 게임의 수법이 비슷하다고 했던 겁니다!"

——스테프가 승리했던 수법.

카운팅을 구사하는 정공법에서 패 감추기, 표시패, 블라인드 셔플.

 상대의 속임수를 간파하고 역이용하는 책략, 블러프, 밀당에 이르기까지.

 그 수법은 모두—— 소라와 시로에게 도전하여 패배에 패배를 거듭하며 익혀나간 것이었다.

 물론 처음에는 스테프도 자신이 패배하면 연방 실현이 멀어진다는 긴장감에—— 소라와 시로라면 어떻게 했을까, 그렇게 의식적으로 흉내를 내며 게임을 했다.

 그런데 수면부족과 돌아올 기미가 보이질 않는 두 사람에 대한 짜증이 스테프에게서 그 긴장감을 빼앗고, 어느 샌가 스테프는—— 소라와 시로를 상대로 게임을 하는 기분까지 들기 시작했다.

 그러나 지나치게 약했다. 그딴 피라미들에게 한순간이라도 소라와 시로를 겹쳐본 자신에게 어이가 없었다.

 ——그딴 피라미들에게.

 ————자신이, 할아버지가.

 ——————얕잡아보였다는 사실이—— 참을 수 없이——

——————

"아."

 느닷없이, 들러붙었던 것이 떨어져나간 것처럼 스테프의 얼굴이 바뀌었다.

 "아아 그렇구나아, 애초에 연방제에 귀족 같은 것들이 방해를 하니까 고생을 했던 거였어요오.”

“스, 스테파니 님?”

그녀의 표변에 불안해진 이노가 말을 걸었다. 하지만 그 목소리가 들리지도 않는 듯…… 보이지 않는 것이 보이는 듯.

형형히 눈을 빛내며 스테프가 그 자리에서 춤추듯 휘릭 한 바퀴 돌더니——.

“——있죠 이노 씨, 귀족도 상인들도 길드도 남김없이 전~부 탈탈 벗겨먹어서 길거리에 쫓아내 박살 내버리고 정부 혼자 전~부 움직이면 되지 않을까요~?! 부족한 인원은 민간에서 선발해 대관으로 임명하고~ 비리를 저질렀을 땐 골수까지 뽑아먹으면 되잖아요오~ 발목이나 붙드는 썩어빠진 것들을 모조리 음모에 빠뜨려 추방하면 국고도 윤택해지고 법령 조정도 단독으로 할 수 있으니 다 해결되는거아닌가요나혹시 천재인가봐?! 나, 나는—— 바보가 아니야…… 바보가 아니라고요오오오오오~~~~~~!!!”

——그리고 망가졌다.

“스, 스테파니 님, 정신차리십시오! 그건 숙청—— 공포정치란 말입니다!!”

울며 웃으며 벽을 이마로 들이박으며 절규하던 스테프가 문득.

무언가 기척을 느끼고—— 시선을 움직이자…… 그곳에.

──소라가, 있었다.

"아──아……!!"

어딜 싸돌아다니고 있었던 건지.

나에게 전부 떠넘기고 방탕놀음이나 하고 앉았다니.

무수한 감정이 솟아났지만 그 이상으로 소라가 그곳에 있다는 사실에 얼굴이 달아올랐다.

기쁨을 감출 수도 없는 속내에 복잡한 감정이 싹트려 했으나──

"소, 소라! 돌아오셨던 거예── 허그윽?!"

달려들었다가 기둥에 얼굴부터 들이박고 스테프는 코피를 뿜으며 괴성을 질렀다.

바닥에 큰대 자로 뻗어 천장을 올려다보고…… 그리고 아연실색 깨달았다.

자신이 본 '소라' 가──

반들반들 닦인 대리석 기둥에 비친──

'자신의 얼굴' 이었음을 깨달은 스테프는 그저 한마디, 침통하게 중얼거렸다.

"………………난, 이제 틀렸나봐요."

"스테파니 님, 주무십시오. 아니, 간청이니 제발 주무실 수 없겠습니까."

축 어깨를 늘어뜨린 스테프를 부축해 일으키며 이노가 말을 이었다.

"······걱정하지 마십시오. 소라 님과 시로 님은, 그야 물론 이해하기 힘든 구석도 있지만——"

이해불능 남매를 최대한 긍정적으로 받아들이고자 노력하면서.

"동부연합에 머무르시는 것은 아마 무녀님과의 조정 때문······이 아닐는지요?"

에르키아가 주도하는 연방 구축—— 그러나 당연히 에르키아 혼자서만 할 수 있는 일은 아니다.

"그쪽은 그쪽 나름대로—— '수뇌회의'를 착착 진행하고 있는 것이 아닐는지요."

소라와 시로의 행동은 항상 상식을 벗어난 것이었다.

그러나 그것은 언제나—— 에르키아를 위한 행동이었다.

그 점은 사실이다.

믿어도 좋을 것이다—— 그러나——

"······글쎄요, 과연. 그 두 사람의 언동은 공사혼동이 전제니까요······."

물론 그것은 항상 '자신의 욕망과 결과를 일치시켰던' 결과였음도 사실이므로.

아득히 멀리 동부연합이 있는 방향을 바라보며 스테프는 중얼거렸다.

"······어차피 지금쯤, 동물귀 소녀를 감상하며 실내에 틀어

박혀 게임만 한다든가, 인간으로서 다 끝난 짓만 하고 있을 게 분명해요."

……이노 또한 그 말을 부정할 수는 없었다.

■ ■ ■

──장소는 바꿔어 '동부연합' 수도, 칸나가리.

에르키아의 '왕성'에 해당하는 곳. 워비스트의 전권대리자가 거주하는 '미야시로'.

그중에서도 중앙동 안뜰.

어딘가 지구의 일본식 정원을 연상케 하는, 풍요로운 자연과 검붉은 도장이 눈에 뜨이는 공간.

원래는 관계자 외에는 출입이 금지된 그 신성한 연못 옆에 인파가 있었다.

"……말야, 무녀님. 사랑이란 뭘까."

"……가르쳐줘, 무녀님……."

진지하게 물었던 것은 흑발흑안에 『I ♡ 인류』 T셔츠를 입은 청년과, 무릎 위의 백발적안 소녀.

인파의 정체는 두 사람의 애무에 께느른한 목소리를 내는 몇 명의 워비스트── 동물귀 소녀들과.

이들을 부러워하며 순서를 기다리는 행렬이었다.

"……뭐랄까. 내사 할 말이 많다만은……."

방울을 굴리는 듯한 목소리로 중얼거린 것은 게임 보드를 끼고 맞은편에 앉은 소녀였다.

아무도 본명을 모르는, 두 개의 꼬리를 가진 황금 여우.

워비스트의 전권대리자—— '무녀'.

"……두 가지 의미로 묻긋는데—— 머릿속 으찌 댄 기고, 느그 두이?"

세 사람이 하고 있던 것은 '추작(陬雀)'이라는 동부연합의 전통 놀이였다.

—— '마작'과는 다소 공통점이 있기는 하지만 본질은 완전히 다른 이 게임을——

"어떻게 됐냐니? 아, 났다. 또 우리가 이겼네."

"……이 게임…… 꽤…… 재미, 있어……."

——수많은 워비스트 소녀를 쓰다듬어대고, '사랑이란' 이라는 장난 같은 질문을 던지면서.

——수십 분 전에 규칙을 들은 생애 첫 게임을 순식간에 마스터했다.

눈 깜짝할 사이에 최대효율의 전략, 무수한 정석을 밝혀내—— 속임수까지 구사하고 있다.

그러나 가장 큰 문제는……

무녀는 쓴웃음과 함께 한숨을 쉬었다.

"댁들 말이지, 어떻게 나한테 안 들키고 속임수를 쓰는지 조금만 알려주면 안 될까?"

──무녀의 오감을 동원하고도 이를 전혀 간파할 수 없었다는 점이었다.

헤실헤실 웃는 얼굴로 소라가 대답했다.

"속임수라니, 무슨 실례의 말씀을. 시로가 뒤집힌 패를 전부 암기해 위치를 항상 추적하고, 난 그저 시로가 원할 것 같은 패를 가져올 뿐── 이걸 속임수라곤 할 수 없지."

그렇다. 속임수를 지적할 수 없는 이유, 두 가지 중 하나가 이것이다.

두 사람은 전혀 신호도 주고받지 않은 채 그저 서로의 패를 추측할 뿐이니까.

"게다가 무녀님도 하고 있잖아. 피차일반 아녀?"

그리고 두 번째가, 자신은 그러고도 지고 있기 때문이었다──.

──정면에서 실력으로 압도당해 점수에서 밀리면…… 어쩔 도리가 없다.

숫제 시원하다는 생각마저 드는 완패.

그렇게 턱을 괴며 쓴웃음을 짓는 무녀에게 소라가 말을 꺼냈다.

"자── 【맹약에 맹세코】 요구는 세 가지. ──문제는 없겠지?"

어이없다는 감정이 섞인 웃음을 짓는 무녀에게 소라가 말을 이었다.

"첫째, 양국의 이익을 고려해서 객관적으로 수출입품목별 세율표를 작성해줘."

에르키아보다도 동부연합 쪽이 대륙자원의 중요성을 파악하고 있으리라는 점은 명백하다.

그렇다면 양국의 국력 차이를 고려해 상호간의 메리트가 맞아떨어지도록 설정할 수 있는 것은 동부연합의 전권대리자—— 다시 말해 '무녀' 만한 사람이 없다.

'양국의 이익' 이라는 문언이 있는 이상 일방적으로 동부연합에 유리하게 할 수도 없다.

여전히 빈틈이 없다며 내심 무녀는 감탄했다—— 그러나.

"……그기 또 내한테 전부 떠넘기겠다 카는 거 아이가……."

지난 보름 동안, 실제로 소라와 시로는 멋지게 '일' 을 했다.

매일 무녀에게 찾아와서는 양국의 이익을 건 게임을 했다.

……그렇다. 정말 성실하게 일했다.

모든 게임에서 무녀에게 승리하고. 그 실무를 무녀에게 떠넘겼다는 점을 제외하면.

"병은 의사에게, 약은 약사에게 몰라? 반세기만에 대국을 만들어낸 무녀님의 수완을 믿어보겠어 ♪"

연합국을 병합한 연방제도——.

소라와 시로가 원래 살던 세계의 '미합중국' 이라는 전례를 참고한 것으로 보이는, 무수한 장애에 대한 해결안과 절충안을 제시하고, 그 알력을 최소한도로 억제하는 일은 무녀에 떠넘긴다.

실제로 그 생각은 옳다. 소라와 시로는 초일류 게이머이지 정치가는 아니다.

그러나 무녀가 쓴웃음을 짓는 이유는 다른 데 있었다.

오늘까지 몇 번이나 소라와 시로를—— 속이고 앞서나가려 했던 것이다.

이번에도, 처음 보는 게임이라면 이길 수 있으리라 판단했으나, 멋들어지게 역공을 당했다.

그 외에도 동부연합이 유리해지도록 이것저것 꼼수를 부렸으나…… 결국 한 번도 두 사람을 앞서나갈 수도 이길 수도 없었다.

그러나 이렇게 결정이 난 정책은 소라와 시로가 말한 대로 철저히 '양국의 이익' 이 되도록 짜여졌다. 에르키아도 동부연합도 단기적으로는 손해를 보지만 장기적으로는 양측에게 이익이 되는—— 그런 정책이 정리된 서류에 한숨을 쉬었다.

불만은 없다.

자신이 앞서나가려고만 하는 데에 죄책감마저 들기 시작했다.

문제는 반드시 따라붙는 두 번째 요구——.

"그리고 요구 두 번째는 여느 때처럼—— 무녀님의 꼬리를 만지게 해줘!"

"……해줘……."

——그렇다. 매번 반드시, 무의미하게 무녀를 조물딱거릴

권리를 걸고 게임을 한다는 점이었다.

"정책이사 진지하게 생각하고 있으니까 상관읍다캐도……."

깊은 한숨을 쉬며 무녀는 한쪽에 차곡차곡 쌓인 서류 더미를 바라보았다.

마음대로 하라며, 두 개의 황금색 꼬리를 천천히 움직인다.

"앗싸왔다! 가자, 시로!"

"……오늘은, 꼭…… 무녀님, 신음하게 만들 거야……."

번뜩 눈을 빛낸 소라와 시로가 달려드는 것을 보며 무녀는 쓴웃음과 함께 생각했다.

——【익시드】서열 14위, 워비스트.

물리한계에 도달할 수 있는 신체성능을 가진 종족.

그러나 이를 인간의 형태로 실현하기란, 말할 필요도 없이 원래는 물리적으로 불가능하다.

이를 가능케 하는 것이—— '체내 정령 운용'이다.

……이 세계의 모든 생명체는 미량일지라도 체내에 '정령'을 가지고 있다.

그 보유량, 정령회랑 접속신경의 적성—— 다시 말해 얼마나 '외부정령'을 다룰 수 있는가가 위계서열이며, '14위'인 워비스트는 적성이 매우 낮아 전혀 쓸 수가 없다.

그러나 '체내정령'의 조작은 이마니티도 포함해 모든 생물이 무의식적으로 하는 행위이다.

워비스트는 이를 강하게 활용해 경이로운 신체성능을 얻는다.

이즈나 무녀가 사용하는 '혈괴'가 좋은 예.

체내정령을 폭주시켜 자괴영역까지 신체성능을 끌어올리는 워비스트의 타고난 기능.

그러나 그 대가로, 몸속을 도는 정령이 끊임없이 흐트러지고 마는 특이현상도 발생한다.

그리고 그 특이현상은 몸이 작고 가녀린 자일수록 큰 영향을 미친다.

그 결과 워비스트—— 특히 어린아이, 여성은 만성적으로 체내정령이 흐트러지는…… 불쾌감을 안게 된다.

이를 자신의 힘으로 어떻게 하기란 쉬운 일이 아니어서——

…………그러니까 무슨 말을 하려는 것이냐면.

"……폭신폭신…… 몽실몽실…… 후후……."

"——흡."

시로의 손에 교성을 지를 뻔했으나 무녀는 생각을 다른 곳으로 돌려 견뎠다.

소라와 시로…… 이 두 사람은 바로 그 정령을 유도하는 기술이—— 이상할 정도로 뛰어났다.

이마니티에게 정령이 보일 리 만무하다.

설령 이세계인이라는 점을 고려해도 체내정령의 유도는 고위마법의 영역에 속한다.

그러나 그것을, 여기 두 사람은——

"——훗, 여기구나!"

"——————흑!!"

……만진 대상의 반응을 순간적으로 파악하고 애무하여

'사실상의 유도' 를 이루어냈다.

그 결과 만성적으로 체내정령이 흐트러지는 증상을——의도치 않게 해소해준다.

이를 무엇이라 불러야 할까——카리스마 마사지사라고 부르면 좋을까.

"……느그, 오늘은 요구가 '세 가지' 라, 안 캤…… 아앗."

적확한 애무에 교성이 나올 뻔했으나 오기로 참으면서 무녀가 물었다.

"——인자는 설명 안 대나? 물론 이 상황카 관계 있긋제?"

낯선 워비스트 소녀들에게 안겨 모두를 매만져주던 소라와 시로.

그 시점에서 이미 하고 싶은 말은 한두 가지가 아니었지만이는 내버려두기로 하고…….

두 사람은 입가를 가리듯, 이즈나의 것으로 보이는 끈을 감고 있었다.

여기에 소라는 고양이의 것 같은, 시로는 토끼의 것 같은 가짜 귀를 달고 있었다. 그들의 뒤에 선 지브릴마저 어째서인지 살짝 늘어진 강아지귀를 달았으며, 그들의 곁에서는 이즈나가 순서대기 상태인지 소라와 시로에게 애무를 받는 소녀들을 노려보고 있었다.

그리고——

무녀는 눈을 가늘게 뜨며 마지막 한 사람을 쳐다보았다.

그 시선 끝에서는 한 담피르 소녀가 방 한쪽 구석에서 바들

바들 몸을 웅크리고 있었다.

"어젯밤에 저 담피르—— 플럼의 '부탁'을 거절했더니, 나랑 시로의 쓰담쓰담 스킬을 온 칸나가리에 떠들고 다닌 모양이더라고."

그 결과가 이 동물귀 소녀 쓰담쓰담 대기열인 모양이었다.

얼굴을 가리고 미야시로 앞까지 공간전이로 왔는데도 문 앞에서 조금 걷자마자 이렇게 됐다고—— 소라가 어깨를 으쓱하며 쓴웃음을 지었다.

"담피르를 구해줄 때까지 이 업무방해를 계속하겠다고 선언했다니깐."

"…………글나……?"

"마스터, 이제는 괜찮지 않겠나이까? 게임으로 모가지를 걸면 어떻겠나이까 모가지를. 그리고 게임으로 함정에 빠뜨려쳐버리는 것이옵니다 모가지를♡"

"죄죄, 죄송합니다아……. 하하, 하지만 저희에게도 종족의 존망이 걸린 일인걸요오!"

지브릴의 살기 어린 시선에 몸을 웅크리며 플럼이 비명을 질렀다.

"——그런고로 세 번째 요구인데."

"흐음."

"워비스트의 전권대리자로서, 우리가 먼저 갈 때까지 오지 말라고 명령해줘. 이즈나네 집 앞에까지 줄을 서는 바람에 시

선공포증이 생겨서 문도 함부로 못 열겠어. 원래 용건도 말
못하겠고."

　………….

　——이것저것 하고 싶은 말은 있는 것 같았다.

　하지만 원래 용건이라는 것을 듣고자 무녀는 날카롭게 입을
열었다.

　"——물러가그라."

　그저 그것만으로도 동물귀 소녀들이 흠칫 털을 곤두세우더
니 꾸벅꾸벅 고개를 조아리면서 굴러가듯 정원을 벗어난다.

　"바이바이."

　그 뒷모습에 시로가 손을 흔들었다.

　"몬 말리긋네—— 그래가꼬, 이번에는 지대로 댄 이야기 맞
제?"

　어이없다는 표정으로 묻는 무녀에게 소라는 표정을 다잡으
며 고개를 끄덕였다.

　"그래—— 에르키아와 동부연합에 관한 중요한 일이야."

　그렇게 전제를 까는 소라에게서 조금 전까지의 장난스러운
기색은 찾아볼 수 없었다. 그의 얼굴은 풀 수 없는 문제에 부
딪친 것처럼 진지함 그 자체였다.

　흐음——

　자세를 바로잡은 무녀에게 소라가 말했다.

　"동부연합 남쪽 바다에—— '오셴드'라는 나라가 있다는
건 알겠지?"

"이웃나라니께 당연하제. 해서종(<ruby>海棲種<rt>세 이 렌</rt></ruby>) 도시 아이가."

——세이렌.

【익시드】위계서열 15위, 이마니티보다 하나 높고 워비스트보다 하나 낮은 종족이다.

심해에 도시를 짓고, 수중에서밖에 살아갈 수 없기 때문에 원래 영토에는 관심을 가지지 않는다.

특수한 생태를 가진 폐쇄적인 종족이며 타국과의 교역도 최소한도로만 이루어진다.

그런 자들의 나라에 대체 무슨 볼일이 있단 말인가……?

그렇게 시선으로 묻는 무녀에게 크게 주억거리며 소라가 말했다.

"그래. 그놈들하고 관계가 있는 건데 말야, 무녀님——"

잠시 뜸.

"——저기, 무녀님. 사랑이란 게 뭘까?"

"내사 함 더 설명할 기회를 주께. 쌈 걸라카믄 상대해 줄낀데♡"

만면의 미소와 함께—— '혈괴'를 쓸 준비를 하듯.

살짝 붉게 털을 물들이며 무녀가 으르렁거렸다.

■ ■ ■

——시간을 조금 거슬러 올라가, 지난 밤.

야게임 설정은 다른 데 알아보라고 가차 없이 잘라버렸던 소라.

그런 소라의 발에 매달려 플럼이 울먹이는 얼굴로 소리를 질러댔다.

"자자, 잠시만요오! 소라 님네 말고는 부탁을 드릴 데가 없어요오!"

"집요하다! 설정부터 청소년 이용불가인 종족과 얽히고 싶지 않아! 너 심의라고 아냐, 심의?!"

피 대신 희고 뿌연 액체를 받아 살아간다는 종족—— '담피르'.

——어떻게 얽힌다 해도 변명의 여지도 없이 빨간책 코너로 직행해야 한다.

"아니에—— 아니, 그야 그렇게 된 애도 있기는 하지만요오……."

"역시나 그렇게 됐구나 야게임틱하게!"

"서, 설명을 좀 들어주세요오! 이대로 가다간 우리 멸망한단 말이에요오!"

"——으음?"

"……응?"

흘려들을 수 없는 한마디에 반응해 소라와 시로는 우뚝 움직임을 멈추었다.

두 사람은 눈을 마주하며 확인했다.

——멸망하면 곤란하다고.

담담히 그 자리에 책상다리를 하고 앉아 한숨과 함께 소라가 입을 열었다.

"……이야기를 들어보지. 단, 미리 말해두겠는데 야한 얘기로 빠지면 내 판단 아래 끊어버리겠어."

소라의 무릎 위에 시로가 앉고, 이어서 지브릴도 정좌했다.

이즈나는── 역시 졸린 것인지 소라의 옆에서 몸을 말고는 꾸벅꾸벅 졸았다.

"고──고맙습니다아!"

반쯤 울먹이면서 플럼은 굽실굽실 고개를 숙였다.

"으음…… 잠시만 기다려 주세요오……."

보라색 눈동자에 무언가 불규칙적인 모양이 떠오르고──

그 순간.

──대체, 언제 움직인 것인지.

한순간에도 못 미치는 찰나 지브릴은 플럼의 눈앞에, 이즈나는 플럼의 등 뒤로 돌아가 있었다.

두 사람이 움직였음을 알려주는 바람이 새삼스럽게 실내에 휘몰아쳤다.

"……어?"

얼빠진 목소리를 내는 플럼을 지브릴이 날카롭게 내려다보고,

"나에게 들키지 않고 마스터께 다가갔던 점은 훌륭하나, 두 번을 허용할 만큼 어리석다고 생각했다면 말해두지요── 분

수를 파악하는 것이 어떨까요, 버러지."

"담피르의 마법은, 기척이 느껴지면 '눈'에서 벗어나라고 영감이 그랬어, 요."

경계심을 숨기지 않는 싸늘한 목소리로 이즈나가 으르렁거렸다.

긴박한 태도를 보이는 두 사람에게 조심스레 소라가 말을 걸었다.

"저, 저기…… '십조맹약'이 있으니까 위해를 가할 수는 없는 거 아냐?"

"위해를 가하지는 못해도 인식을 위장할 수는 있사옵니다. 이를테면——"

플럼의 '옆에' 적의의 덩어리를 보내며,

"거기 있는 수많은 트렁크를 보이지 않게 하는—— 그런 일이."

아무 것도 없는 장소를 노려보는 지브릴에게 눈물을 글썽이며 플럼이 손을 흔들었다.

"오, 오해예요오! 이건 처에 대한 인식위장이었어요오!"

——허공에서 수많은 트렁크가 우르르 소리를 내며 나타났다.

"…………응."

쿵쿵 코를 울리며 경계심을 푼 이즈나가 소라 일행의 옆으로 돌아갔다.

"지, 짐이 많아서, 그 뭐냐, 존재에 위장을 걸어 가지고 다

넜을 뿐이에요오…….”

그리고 그제야 겨우 상황을 파악한 소라와 시로가 눈을 크게 떴다.

“그러니까—— 짐이라는 ‘존재’를 감춰서 중량을 없애버렸단 말야?”

“아니옵니다, 마스터. 짐의 양이나 무게를 느끼지 않게 됐을 뿐 없어지지는 않사옵니다.”

“그럼 처음에 나타났을 때부터 엄청나게 피곤해했던 건…….”

“……이것, 때문……?”

“죄, 죄송합니다아……. 그게, 무, 무거웠거든요오…….”

굽실굽실 사과하는 플럼. 그러나 지브릴은 언짢은 투로.

“담피르의 ‘잠입과 환혹’—— 인식에 작용하는 마법의 적성은 자칫하면 엘프마저 능가할 정도이옵니다. 저 트렁크들은 줄곧 이곳에 있었나이다…… 알아차리지 못했을 뿐.”

“흐음. 지브릴은 알았나 보네?”

“매우 화나는 일이오나, 주의하지 않고선 알아차릴 수 없나이다. 그러나 두 번은 없을 것이옵니다.”

지브릴이 주먹을 꾹 쥐고 고개를 조아렸다. 소라는 곁으로 시선을 옮겼다.

“……이즈나가 경계를 푼 이유는 뭐야?”

“……? 거짓말을 하는 냄새가 없으니까 그렇지, 요?”

갑자기 움직이는 바람에 더 잠이 오는지 몸을 만 이즈나가

하품을 하며 대답했다.

──흐음.

소라와 시로는 눈을 가늘게 떴다.

두 사람의 시선이 향한 곳에서는 플럼이 트렁크를 뒤집어가
며 무언가를 찾고 있었다.

"아, 여기 있네요오."

그리고 무언가 서류를 꺼내더니──

"어흠, 그러면……. 소라 님과 시로 님은 전 종족을 정복하
려 하신다고 들었어요오."

"……그렇지."

표면상으로는.

동부연합을 병합하여 연방을 세우려 한다는 이야기는──
그야 뭐 다 소문 났겠지만, 피스의 이동까지는 소라네와 무녀
네 외에는 비밀로 되어 있을 터.

딱히 설명할 필요도 없다고 생각해 소라는 긍정했다.,

"단도직입적으로 말씀드릴게요오──."

그 대답에 만족한 플럼이 말을 이었다.

"지금 우리 담피르와 세이렌, 두 종족이 멸망할 위기에 처했
어요오. 온갖 수를 다 써봤지만…… 이제는 도저히 방법이 없
어서, 소라 님과 시로 님께 협조를 청하고 싶었던 거예요오."

……──흐음.

"지브릴, 너에게 묻고 싶은데. 담피르하고 세이렌이란 애들은 무슨 관계가 있어?"

소라의 물음에 지브릴이 조용히 고개를 조아리며 말했다.

"'십조맹약' 이후, 담피르는 허락 없이는 피를 섭취할 수 없어 생존 그 자체에 타인의 허락이 필요한 존재가 되었사옵니다. 허나—— 세이렌도 상황은 비슷했나이다."

"……왜?"

시로가 말을 꺼냈다.

"…… '세이렌' …… 서열 15위, 바닷속에서만 살 수 있는…… 종족."

【익시드】위계서열 15위 '세이렌'—— 단적으로 말하자면 '인어' 종족이다.

그들의 생태는 매우 특수하여, 상반신은 인간이고 허벅지 아래쪽은 물고기 지느러미가 달렸다.

때문에 해저도시 '오센드'를 세우고 광대한 해양을 영토로 삼았다.

그리고 두 번째 특수성은 여성체밖에 없는 종족이라는 점.

다시 말해 그들의 번식방법은——

"…… '이종족 남성' ……이, 필요……."

시로의 설명에 소라는 지브릴에게 눈을 흘겼다.

"야. '담피르'도 그렇고 '세이렌'도 그렇고, 생물로서 결함이 너무 많은 거 아녀?"

"원래는—— 그러니까 '십조맹약' 이전이라면 문제가 없었나이다."

지브릴의 설명이 이어졌다.

"세이렌은 다른 종족의 남성을 잡아먹으면 그만이고, 담피르도 다짜고짜 피를 빨면 아무 문제가 없었으니까요. '십조맹약'의 폐해를 입은—— 그야 물론 폐해가 없는 종족이 더 적지만—— 대표적인 두 종족이 그녀들이옵니다."

웃으면서 살벌한 과거 이야기를 하는 지브릴. 소라가 물었다.

"……엑, 잡아먹는다니, 뭐야 그거 말 그대로?"

한순간 무서운 표정으로 아작아작 다른 종족을 잡아먹는 하반신 물고기 여자—— 다른 의미에서 청소년 이용불가가 될 것 같은 영상이 머릿속을 가로질러 소라는 부르르 몸을 떨었다.

그러나 지브릴은 고개를 가로저었다.

"아니옵니다. 마스터께서 건전하게 나가야 한다고 말씀하셔서 표현을 바꾸었나이다. 성적인 의미에서 잡아먹는다는 뜻이옵니다."

"뭐야, 그 천국 나 가고 싶어! 지브릴 지금 당장 가자!"

환호성을 지르며 일어나는 소라. 그러나 지브릴은 어리둥절.

"마지막 한 방울까지 쥐어짜여도 괜찮으시겠나이까?"

"뭐야, 그 지옥 나 가기 싫어어…… 평생 가나 봐라."

……다른 종족의 남자를 마지막 한 방울까지 쥐어짜내야 번식할 수 있는 인어.

대체 이 세계는 얼마나 기대와 패턴을 배신해야 직성이 풀

린단 말인가…….

순식간에 텐션이 정점에서 밑바닥까지 오르내렸던 소라는
한숨을 쉬며 털썩 앉았다.

그런 소라는 내버려둔 채 지브릴이 말을 이었다.

"아무튼 담피르와 세이렌 양측은 남을 해치지 않고서는 생
존할 수 없는 종족이며, '십조맹약'은 종의 존속 그 자체를
위태롭게 만들었나이다. 그래서 담피르가 점찍은 것이 세이
렌이었지요."

고개를 끄덕이는 소라.

"흐음. 뭐, 타당하네. 세이렌은 15위, 이마니티와 워비스트
의 중간이니 마법은 못 쓸 거 아냐? 환혹과 잠입마법에 뛰어
난 담피르가 일방적으로 먹이로 삼을 만해."

똑같이 멸망할 위기에 처한 종족인 만큼 내기를 하기에도
편리했을 것이다.

여전히 살벌하기는 하지만 생존이 걸린 이상——

그러나 지브릴은 웃는 얼굴로.

"유감스럽게도 이 이야기는 예상을 갈아 엎어버리는……
세계적으로도 유명한 이야기가 되었사옵니다."

——그냥 뒤집는 정도도 아니라고, 지브릴은 어딘가 재미있
어하며 말했다.

"담피르에게 물리면 '병'에 걸린다……고 말씀드렸나이다."

"그랬지……."

"그것은 간단히 설명을 드리자면 '직사광선을 쬐면 죽는' 병

이옵니다. 다시 말해 원래 물 위에 올라가지 않고 해저에서만
살아가는 세이렌에게는 딱히 문제가 없는 '병'이었나이다."

"──응? 어, 그건 즉?"

이번에는 플럼이 건드리면 부서질 것 같은 미소를 지으며
대답했다.

"……네에, 저희 담피르는── '공생'을 제안한 거였어요
오…….."

지브릴이 그 말을 이어받았다.

"세이렌이 피를 제공하는 대신 담피르가 마법을 제공해 먹
이가 될 다른 종족을 확보한다는 전략으로, 담피르는 세이렌
과 일찌감치 '공동전선'을 펼치고자 생각하였던 것이옵니
다."

"그거 참── 뭐랄까."

"……대단, 해……."

소라와 시로는 진심으로 감탄사를 냈다.

아무리 멸망의 위기에 처해 체면 차릴 수 없는 상황이었다
고는 하지만.

서로의 메리트를 완벽히 고려한 제안이며, 적확하고, 심지
어 성가신──

그러나 지브릴은.

"예, 정말 그렇지요. 경악할 만한 종족이옵니다── '세이
렌'은.

──뭐?

플럼에게 동정의 미소를 지으며 말했다.

"공존을 제안했던 담피르를── 세상에 이럴 수가, '역습'
해버렸으니까요 ♪"

…………엥?

"그 결과── 담피르는 세이렌에게 처참하게 패해, 담피르
남성은 세이렌의 번식을 도와야 하며, 세이렌 이외의 다른 종
족에게서는 피를 빨아서는 안 된다는 영문 모를 계약을 체결
하게 된 것이옵니다."

…………────잉?

이 정보는 시로의 지식에도 없었는지, 그녀도 귀를 의심하
며 지브릴을 바라보았다.

"……하하…… 정말, 우습지요오."

반면 플럼은 체념을 받아들인 듯한 표정으로,

"선조님들도 설마── 세이렌이 '십조맹약'을 이해하치 못
해, 자기네가 멸망의 위기에 처했다는 사실에 차각초차 없으
리라고는 생각지도 못하셨겠지요오…… 하하."

──행복과는 인연이 먼 얼굴에 피로까지 더해진 어두운 웃
음을 지었다.

"……어……? ……빠야…… 저게 무슨…… 소리야?"

웬일로 갸우뚱 고개를 기울이며 혼란에 빠진 시로에게 설명
하는 소라.

"──어, 그러니까, 설마, 설마 싶기는 한데……."

믿을 수는 없지만──

"담피르는 마법을 쓰지 않고, 반쯤 짜고 치는 시합으로 무승부 게임을 청해 공생관계를 제시했는데── 그 의미를 이해하지 못했던 세이렌이 일방적으로 이겨서 만만세를 불렀다── 뭐 그런?"

지브릴의 웃음과 플럼의 지친 미소가 '정답'이라고 말해주었다.

"……야, 세이렌이란 거 바보야?"

"천상천하 삼천대천세계에 이름을 떨칠 바보이옵니다♡"

"바보의 극치에 도달한 사람들이지요오…… 하하."

"대머리 원숭이만도 못하다고 영감이 그랬다, 요."

소라의 질문에 지브릴과 플럼과 잠자던 이즈나까지도 한마디씩 덧붙였다.

"……대단하구만. 이마니티보다도 저평가를 받는 종족이 있다니……. 어째 감동적인걸."

그러나 지브릴의 쾌활한 어조는 끊어지질 않았다.

"자자, 이렇게 되었으니 재미있는 일이 일어나지 않겠나이까♪"

그러면서 손가락을 하나 세우는 지브릴.

"우선 첫째. 담피르는 혈액 이외의 체액으로도 '생존'은 가능하옵니다."

두 번째 손가락을 세운다.

"둘째. 그러나 '성장'은 흡혈── 영혼혼합이 없고서는 영원히 어린아이 상태로 머물러야 하옵니다."

세 번째 손가락을 세운다.

"셋째. 맹약으로 다른 종족의 피를 빨지 못하도록 금지된 것은 '남성' 뿐——. 하오나 어린아이인 채로는 담피르간의 번식도 불가능하옵니다. 피를 얻기 위해 남성은 세이렌을 따를 수밖에 없고, 자식을 낳기 위해서는 결과적으로 '여성'도 대부분이 세이렌을 따라야만 하게 되었나이다."

다시 손가락을 하나 세운다.

"넷째. 이를 따르지 않고 세이렌의 도시를 떠난다 해봤자 '병원체 보유자'—— 이제는 이해하셨으리라 생각하옵니다."

그리고 웃으면서 다섯 번째 손가락을 세우는 지브릴.

"다섯째. 담피르는 그런 바보들을 상대로, 의도치 못하게 '궁지에 몰린' 것이옵니다 ♪"

…………

기가 막힌다는 표현을 쓰는 것조차 어리석게 여겨지는 이야기에 시로는 이미 관심을 잃고 손톱만 만지작거렸으며.

소라도 넋을 잃은 채 천장을 우러렀으나—— 문득.

뇌리에 플럼의 말이 떠올랐다.

——『아니, 그야 그렇게 된 애도 있기는 하지만요…….』
——

……정보를 정리해 생각해보자.

우선 담피르 여성은 세이렌을 반드시 따라야 할 의무는 없으며, 도시 밖으로 나올 수 있다.

　그러나 흡혈을 하지 못하면 어린아이 그대로.

　그러나 생존은 다른 종족의 체액만 있으면 가능.

　게다가 피 다음으로 적절한 체액은 '그거' 고?

　그리고── 그렇게 된 애도 있기는 하다……고?

　──잠깐. 잠깐 기다려봐.

　──────…………그거────── 합법 로ㄹ──────

　"하, 하지만요오? 그걸── 한번은 어떻게든 해결했거든요
오……."

　"에으, 아헉, 어, 네?"

　완전히 생각이 다른 곳으로 흘러갔던 소라.

　플럼의 말에 약간 혼란스러워하며 돌아왔다.

　"이는 '십조맹약' 직후의 이야기. 담피르는 그 상황에서도
공생에 성공했나이다."

　지브릴이 고개를 끄덕이며 말을 이었다.

　"세이렌은 이종족 남성의 정기를, '영혼' 을 송두리째 빼앗
아 번식하지만── 번식에 필요한 영혼의 양이 치사량 미만
인 개체가 '한 세대에 한 명' 뿐이기는 해도 분명히 존재했나
이다── 그래서."

　"담피르는 반드시 준수되어야 할 '번식협조' 를 '그녀' 에게
만 행해── '여왕' 으로, 다시 말해 대대로 계승되는 세이렌

의 전권대리자로 내세우고, '번식을 행하는 것은 여왕만' 으
로 한정했던 것이옵니다."

"——호오!"

"……대단, 해……."

손뼉을 치며 감탄하는 소라. 마찬가지로 박수를 보내는 시
로.

"담피르는 '세이렌의 번식에 협조한' 거니까 맹약을 위반
한 것도 아니고, 한편으로는 죽을 정도로 정기를 빨아내는 다
른 세이렌을 거부할 수도 있고, 그러면서 피도 빨 수 있다니
—— 멋지네. 완벽하잖아."

과연. 큰 실수를 저지르기는 했지만 화려한 역전극이다.

서로가 멸망하지 않도록, 적확하게 종의 존속을 보증하는
체재를 구축한 것이다.

그것은 곧 소라네보다도 먼저 '종을 넘어선 공존' 에 성공했
다는 뜻이며.

"——역시 대단한데, 담피르. 거저 서열 12위가 된 게 아니
구만."

"유감이오나 마스터, 그 시스템도 당시의 여왕 대에서 깨지
고 말았나이다."

——이 얘기는 대체 반전이 몇 개나 되는 거야?

"……그 당시의 여왕은 대체 무슨 짓을 저질렀는데?"

눈을 흘겨뜨며 묻는 소라. 그러나 미소를 짓는 지브릴. 그녀
는 이번에는 자신의 모든 손가락을 다 펼치며,

"── '아 무 첫 도', 이옵니다♡"

그렇게 대답했다.

그리고, 안 그래도 행복과는 인연이 먼 얼굴을 하던 플럼이 영혼마저 토해낼 듯한 쓴웃음을 지으며 말했다.

" '나를 깨워줄 왕자님이 나타날 때까지 일어나지 않겠어' 라고 하면서어…… 동면한 거예요오."

───────────아?

생글생글, 무엇이 그렇게까지 즐거운지 지브릴은.

"다시 말해, 담피르도 죽지 않고 세이렌도 번식시킬 수 있는 '현 여왕' 은── 그녀의 어머니가 여왕이었을 때, 무슨 동화에 영향을 받아서는【맹약에 맹세코】, 그 말을 남긴 채 처잠들었던 것이옵니다."

……이봐, 잠깐. 장난하는 거지.

"그녀를 반하게 만드는 왕자님이 나타날 때까지── 다시 말해【맹약에 맹세코】그녀가 정한 '게임' 을 클리어하기 전까지는 깨어나지 않으며, '동면' 이란 세이렌의── 워비스트의 '혈괴' 같은 힘인데 천 년 이상은 계속 잠들 수 있사오, 나 그러나!"

그렇게 말하며 지브릴은 정좌하더니 마치 부채질을 하는 듯한 몸짓으로.

"그리하여 여러분, 이 세계에서도 첫 번째로 손꼽히는 어이

없는 《실화》는 드디어 절정에 이르려 하였으~니~ ♪"

……만담꾼이라도 된 건가.

특징적인 말투로 지브릴은 분위기를 타며 말했다.

"허어, 헌데!! 여왕이 설정한 이 '게임' 말입니다만—— 과
연!"

"도대체 대관절, 어떻게 잠든 채로 반하게 만들 수 있겠사옵
니까!!"

——……할 말이, 없었다.

플럼은 당장에라도 부서질 듯 덧없는 웃음을 먼 곳으로 보
낼 뿐이었으며.

소라는 두통을 참고, 시로는 하품을 곱씹고, 이즈나는 꿈나
라로 떠났다.

유일하게 여전히 기세등등한 지브릴만이 말을 이었다.

"상대를 죽이지 않고도 번식할 수 있는 '여왕'에게만 협조하
는 것이 통상개체와의 번식을 거부할 구실이었던 담피르의 남
성들은—— 과아연?! 여왕이 잠들면 어떻게 되겠사옵니까!!"

그러고는 부채를 펼치며 어흐흐흐…… 쓰러지는 듯한 몸짓
과 함께.

"현 여왕이 '동면'에 들어간 지 어언 800년. 선대 여왕은 이
미 사망하였으며 현 여왕이 자연스레 깨어날 시기는 앞으로 수
백 년 후…… 그 결과—— 담피르 남성들은 차례차례 잡아먹

혔으니——."

그리고 지브릴은 깊이 고개를 숙였다.

"어떠셨나이까, 일곱 대륙에 자자한 세계에서도 가장 바보 스러운 《실화》 이야기가——. 그러면 소인은 이만 물러가겠 나이다."

"……아니 물러갈 필요는 없지만, 뭐…… 자알 알겠다."

과연. 그랬다면야 모두들 옛날에 멸망했으리라고 생각하는 것도 당연한 노릇이다.

——하지만 한 가지.

"담피르의 마지막 남성을 다 잡아먹으면, 그다음에는 세이 렌이 멸망할 거 아냐."

"……세이렌에게 그걸 이해할 머리가 있었으면…… 고생을 안 하죠오……."

"……엑, 설마—— 아직도 자각이 없어……?"

빛이 깃들지 않은 눈으로 허공만 바라보는 플럼에게 소라는 저도 모르게 얼굴이 굳어버렸다.

그러니까, 그 뭐냐.

"——실제로 남자는 마지막 한 사람밖에 안 남았어요오…… 심지어 아직 어려요……."

……진심으로 멸망 5초 전인 셈이다. 그 점은 알겠다—— 그런데.

"그럼 그걸 어떻게 구하라고? 듣자하니 완전히 속수무책인데."

"아, 지금 플뤼겔 님이 하신 이야기에는 뒤가 더 있어요오!"

드디어 본론에 들어갈 수 있겠다고 화악 밝은 표정을 짓는
플럼.

"여왕님은 '동면' 상태지만 의식은 있거든요오! 그래서어 여
왕님의 의식에——'꿈'에 간섭하는 술식을 짜서, 꿈속에서 반
하게 만드는——'연애 게임'을 가능하게 만들었어요오!"

……호오——'연애 시뮬레이션 게임'이란 말이지…….

소라는 웃었다.

"지브릴, 꿈에 간섭하는 건 '십조맹약'에 위배되는 게 아니
야?"

"해칠 뜻이 없으며, 간접적으로라도 위해를 가하지 않는 것
이라면야——. 하물며 이 경우 여왕은 자신을 반하게 만들 왕
자님을 기다리고 있사오니, 사실상 허가를 받아놓은 셈이 아
니겠나이까?"

고개를 끄덕이며 플럼은 다시금 요구를 밝혔다.

"——부디 '여왕님'이 반하게 만들어 주세요! 그러기 위한
책략도 가져왔어요오!"

소라는 시로와 얼굴을 마주보았다—— 답은 이미 나왔다.

'익시드 제패'를 목표로 삼은 소라 일행에게는—— 애초부
터 구하는 것 말고 다른 선택의 여지가 없었다.

그러나 그렇다 해도 한 가지 확인해두어야 할 것이 있다. 소
라가 말했다.

"그 게임에 참가하면 우리는 무슨 대가를 얻지?"

다시 메모를 꺼내는 플럼.

"어디…… '오셴드의 해저 자원 3할을 제공하고 영구 우호 관계를 체결'이라네요오."

그러나 그 한 문장에 덧붙여 한숨을 짓는 플럼.

"……그나마 이것도요오, 상황을 이해시켜서 세이렌들의 허락을 받아내는 데 일주일이나……. 하아……."

과연. 좋은 조건이다. 나쁘지 않다.

그러나 아직도 마음에 걸리는 것이 있는데——.

"……그, 그리고요오…… 저기이."

냉엄한 표정을 지우지 않는 소라에게, 부끄러워하듯 손가락을 꼼질거리던 플럼은—— 흘끔.

자신이 가져온 수많은 트렁크를 보고 새빨갛게 물든 얼굴을 푹 숙이며—— 말했다.

"저, 저를 마음대로 하셔도 좋아요오……. 그, 그래서 생활 용품을 전부 가져왔——"

"꾸물대지 마라 제군! 멸망의 위기에 처한 자를 한시라도 빨리 구하러 가야 하지 않겠는가!!"

——준비를 마치고 당장에라도 집에서 뛰어나갈 채비를 하는 소라는.

자애에 가득 찬 눈으로 플럼을 보며 말한다.

"안심하게나, 아가씨. '연애 시뮬레이션 게임'은 특기 중의 특기이니."

그러니 자자, 어서 세부사항을 말해보시지.

그리고 가자꾸나, 합법 로리를 손에 넣기 위해——!

그렇게 힘주어 부르짖는 소라의 눈에 플럼은 얼굴을 빛냈다.

"네, 네에엣! 어, '꿈에 대한 간섭'이니까요오, 시추에이션은 자유로이 설정할 수 있지만 기본은—— 여왕님을 반하게 만들어서 고백을 시키는 게 목적이에요오!"

소라의 뇌리를 스친 것은—— '두근두근 메ㅇ리얼'이었다.

원조 연애 시뮬레이션 게임. 새삼 생각하건대—— 아무런 문제도 없다.

내가 함락시키지 못할 캐릭터 따위 존재하지 않는다고 내심 고개를 끄덕이는 소라. 그러나.

"호의를 품게 만드는 초건은 불확정, 대화도 행동도 전부 실시간인 연애 게임이에요오!"

…………

다시 소라와 시로가 시선을 나누고, 웃으면서 고개를 끄덕이더니—— 이미 나왔던 결론을.

뒤집었다.

"그렇다면야 이야기가 다르지. 거절한다. 조심해서 돌아가."

"……바이바이…… 멸망하지, 마…… 파이, 팅."

두 사람은 웃으며 그렇게 선언했다.

■ ■ ■

"——와 그랬노? 나쁘지 않은 이야기드마."

잠자코 이야기를 듣던 무녀가 짧게 감상을 말했다.

"세이렌네 해저 자원이믄 내도 전부터 갖고 싶드라. 상관없지 않나, 도와도. 영구 우호관계라카는 거이—— 느그 할라카는 그 에르키아 연방에도 좋은 떡밥 아이가?"

과연 무녀다—— 엷은 웃음을 지으며 새삼 이해했다.

플럼이 말한 '소라와 시로가 아니면 부탁할 수 없다'는 말은 바로 그런 뜻이다.

담피르, 세이렌에게는—— 판돈으로 걸 만한 것이 존재하지 않았다.

보통은 우호관계나 그 정도 자원 가지고 구해줄 이유가 없다.

그들이 가진 영토나 자원이 탐난다면 방치해두고 멸망하도록 기다리면 그만이다.

다른 자들을 해치지 않고서는 살아가지 못하는 종족을 지배하는 데에는 아무런 이익도 없으니까.

——그러나.

최종목표가 【익시드】의 제패——'그 이후'에 있는 소라네만큼은 예외다.

설령 한 종족이라 하더라도 멸망해서는 안 된다.

동부연합이 탐내는 자원도, 에르키아와 동부연합의 국력 차이를 메울 초석이 될 것이다.

그리고—— 잘만 한다면 에르키아 연방에 2개 종족이 더해진다.

불만의 여지가 없는, 나쁘지 않은 조건이다.

——그러나.

소라는 씁쓸하게 고개를 가로젓고 플럼을 노려보았다.

"……그게 무리라니깐, 무녀님……. 얘기 들었어? 플럼이 제시한 '게임'이라는 게 뭔지."

"흐음, '연애 게임' 아이가? 머가 문젠데?"

도통 이해할 수 없어 의아해하며 묻는 무녀. 그러나.

짜증스럽게 머리를 쥐어뜯더니 소라가 정정했다.

"——아니야. '호의조건 불확정, 대화도 행동도 실시간인 연애 게임'이지."

"……어데가 다르노?"

"다르다마다! 그게 무슨 연애 게임이야! '레알 연애 게임'이잖아!"

요란하게 팔을 휘저으며 마침내 소라가 외쳤다.

"아니, 레알 연애 게임…… 그게 정말 게임일까?! 그럼—— 애초에 사랑이란 뭔데?!"

철학적 질문.

——그러나 게임이라고 주장하는 이상 진지하게 고찰했던 소라는 말했다.

"보통 연애 게임이라면 얘기가 간단해. 말하자면 플래그를 세워서 '호감도'를 벌면 되는 거잖아. 그런데 이 경우에는 어

떻지? 이 녀석은 태연하게 단언했어. 호의를 품게 만들 조건
은 불확정, 대화도 행동도 선택지가 아니라 실시간이라고! 다
시 한 번 묻겠는데, 그게 '게임'일까?!"

……고대 그리스.

자신의 주장을 설파하던 철학자 소피스트들이 아마도 이런
모습이 아니었을까.

그런 생각이 들 정도로 요란하게 주먹을 쳐들고 목소리를
높이며 소라는 다시금 말했다.

"레알 현실의 '연애'란 게 뭔데! 근간부터가 애매한 개념
을 주고받는 게임을 게임이라고 부를 수 있겠어?! 패의 의미
도 족보도 시합할 사람도 정하지 않고 하는 포커가 게임일
까?!"

──애초에, 연애란 게 뭘까.

연애── 사모할 연(戀), 사랑 애(愛).

……두 글자.

우선 모양이 서로 다르고.

모양이 다르니 읽는 법도 다르고.

읽는 법이 다르니 의미도 당연히 다르겠지.

연이든 애든 애당초 이게 뭘까.

너의 이웃을 사랑하라고 했던 성인도 이웃집 부인과 자라고
하지는 않았을 텐데.

……그렇게 진지한 눈빛으로 말하는 소라.

그러나 무녀는 싸늘한 눈빛으로 툭 내뱉었다.

"——마, 그거야말로 입담으로 우야든동 반하게 만들믄 대는 거 아이가? 사기꾼의 진가를 발휘할 때 같구마?"

그러나 그 말에 침통한 표정으로 고개를 가로젓더니 소라와 시로가 대답했다.

"……무, 리……."

"맞았어. 한 가지 말해두어야 할 것이 있었군, 무녀님."

두 사람은 느닷없이 눈을 날카롭게 뜨더니.

"——어떤 게임에서도 『 』은 무패를 자랑했지만, 그러나 클리어한 적이 없는, 아니, 규칙조차 이해할 수 없어 제대로 플레이해본 적이 없는 게임이…… 단 '두 가지' 있지."

그것이——

"——'레알 인생 게임'과 '레알 연애 게임' 이다——!"

우리 남매는 원래 세계에서, 280종이 넘는 게임의 정점에 공란 이름을 새겼으며.

『 』은 도시전설까지 되었던 게이머.

——그러나 결코 잊지 말지어다.

현실에서는 단순한 동정남 친구 없음 커뮤니케이션 장애 골방지기였다는 사실을——!!

그렇게 부르짖는 소라와 시로의 눈—— 그 당당한 모습. 긍지마저 느껴지는 자태는.

확신을 박진감으로, 기백으로.

그리고 귀기로까지 형태를 바꾸어…… 대기를 흔들었다──.

"여, 역시 소인의 마스터── 이 얼마나 대단한 기백인지!"

"잘은 모르겠지만 둘 다 멋있어~, 요."

지브릴과 이즈나가 꼴깍 목을 울리며 중얼거리는 반면.

"소극도 긍지의 영역으로 들어가믄 이만치로 대나…… 문디들 참말 당당하데이."

"……저, 저에게는 매우 난감한 각오지만요오……."

무녀와 플럼은 냉정한 의견을 중얼거렸다.

"뭐 그런고로. 무녀님에게 상담하는 걸 조건으로 일단 보류하기로 했단 말씀."

"……하아, 글나……."

"그런고로 무녀님. 사랑이란 뭔지 좀 가르쳐줘."

"……가르쳐, 줘…… 무녀님……."

진지함의 화신이 된 것 같은 표정으로 묻는 두 사람. 그러나 무녀는 한숨.

자세를 고쳐 의자에 깊이 몸을 묻고, 털을 고르듯 자신의 꼬리를 매만지며.

"──그기 참, 머까나."

그렇게 무뚝뚝하게 중얼거렸다.

"철 들찌부터 워비스트── 동부연합만 생각카믄서 여까정 와서…… 그라고 보이 사랑이란 기 먼지, 생각하는 긋도 잊어

뻿데이……."

　과거를 회고하듯 먼 곳을 바라보며 중얼거리는 무녀에게.

　──어째서일까.

　소라와 시로는 전에 없던 친근감을 느꼈다.

"그렇구나……."

"……그럼, 어쩔 수, 없겠……네."

　그렇게 둘이 나란히 한숨을 쉬더니, 다시 플럼을 쳐다본다.

"미안해, 플럼. 이번에는 포기해줘. 멸망하지 말라고?"

"……억세게, 살아야, 해?"

　세 번째로 냉큼 버림을 받은 플럼이 울먹이는 표정으로 외쳤다.

"이야기 제대로 들으셨어요?! '그러기 위한 책략'을 준비해 왔다니깐요오!"

　울음 섞인 목소리로 외치며 플럼이 메모를 꺼냈다.

"다, 담피르도 그냥 잠자코 잡아먹히기만 했던 건 아니에요오…… 여왕님의── 그 '게임'을, 오랫동안 해석해서, 드디어 완성시킨 절대비책이 있다구요오!"

　그러나 소라도 시로도 이제는 흥미를 잃었는지.

　무녀를 따라 자신들의 갈라진 머리카락을 찾으며 마음에도 없는 투로 대꾸했다.

"……필승법, 있으면…… 스스로, 파이팅……."

　우우우우우 신음하며 목소리를 높이는 플럼.

"~~~~~마, 말보다 증거예요! 소라 님!"

그러고는 소라를 척 가리키며 외쳤다.

"소라 님에게 절대 반할 것 같지 않은 사람을 말해보세요!"

"누구나."

"……에?"

손톱을 만지작거리며 맨송맨송한 얼굴로 즉시 대답한 소라.

뻣뻣이 굳어버린 플럼.

그리고 소라는 먼 곳을 보는 눈으로── 해탈의 경지에 이른 승려와도 같이 조용한 표정으로.

"나에게 반할 여자란, '맹약'을 쓰지 않고선 천지신명이 뒤집어져도 없어."

제행무상의 진리를── 깨달음의 경지를 설법하듯 말을 이었다.

"──저, 저기…… 아, 안됐네요오."

소라의 보살 미소에 기세가 한풀 꺾인 플럼이 간신히 그렇게 말했다.

그리고 무언가 대안을 찾고자──

"그, 그럼 소라 님께라면 사용해도 될까요……?"

"흠?"

"여왕님이── '강제적으로 반하게 만드는' 마법이에요오!"

──호오.

소라는 자신도 모르게 중얼거렸다.

과연. 반하게 만드는 것이 조건인데 그런 마법이 있다면 분명 필승이겠지.

그렇다면 이것저것 이야기가 바뀌는데——.

하지만 그 발언에 의혹의 눈길을 보낸 것은 지브릴이었다.

"——감정 강제간섭이란 말인가요? 그것은 '십조맹약' 때문에 불가능할 터——."

그러나 그 말에 오히려 기다렸다는 듯 대답하는 플럼.

"예, 보통은 그렇지요오! 하지만 여왕님은 '반하게 만들어라.'라고 부탁하면서 잠드셨어요—— 다시 말해 '허가'가 있는 거예요오. 바로 거기! 파고들 여지가 있답니다!"

꿈에 간섭하는 것과 같은 원리라고 허리에 척 손을 대며 말하는 플럼.

행복과는 인연이 먼 얼굴에 일말의 자신감을 담아 가슴을 펴는 모습에 소라는.

——보아하니 정말로 자신이 있는 것 같다고 판단했다.

흘끔 지브릴에게 눈짓을 하며 고개를 끄덕인다.

"좋아. 연애감정이 뭔지 잘 모르는 나에게도 통한다면 분명 필승의 비책이겠지."

그렇게 말하며 소라가 앞으로 나섰다.

"그럼 나한테 써봐. 효력은 시로가 판정해줄——"

——그러나.

"……안 돼……."

앞으로 나가려던 소라의 셔츠 옷자락을 잡으며 시로가 만류

했다.

"웅? 왜 그래, 시로?"

"……안 돼."

"웅? 어, 왜?"

"…………."

시로의 눈이 한순간—— 정말로 한순간이지만, 흔들렸다.

그 이유를 소라는 짐작할 수 없다.

그렇기에—— 지금 막 이유를…… '구실'을, 명석한 두뇌를 풀 가동시켜 생각해.

겨우 한 가지 구실을 발견할 수 있었던 시로가 중얼거렸다.

"……빠야, 가…… 누군가에게 반했, 다간…… 무슨 짓, 할지…… 몰라."

"시, 시로—— 오빠의 강철 같은 정신을 아직도 의심하는 거니?!"

이제는 자신의 자제심은 긍지로 삼아도 될 정도가 아니냐고 소라가 비통하게 호소했다.

그러나—— 워비스트는. 상식의 범주를 벗어나 마음의 미묘한 변동마저 읽어내는 무녀는.

소라보다는 그나마 감정의 움직임을 잘 아는지 까르르 웃었다.

"——마, 그라믄 내한테 시험해보그라."

"잉? 무녀님한테?"

어딘가 흐뭇한 것을 지켜보는 눈으로 무녀가 말했다.

"연애감정이 먼지 잘 모르는 기는 내도 마찬가지라, 문제 없굿제?"

그러나 시로가 여전히 경계하는 눈빛으로 플럼에게 물었다.

"……해제, 는…… 할 수, 있어?"

"네? 어, 아, 네! 물론이죠오!"

"쿠하하, 맘 놔라. 내 취향 아이데이."

무언가 상호 이해가 이루어진 듯한 시로와 무녀. 그러나 혼자 전개를 따라가지 못하고 있는 소라.

"……저기, 무슨 얘기야?"

"글쎄요. 저는 잘 모르겠나이다, 마스터."

"……? 미안한데 잘 못 들었다, 요."

똑같이 고개를 갸웃하는 지브릴과. 애초에 하품만 참고 있던 이즈나가 알 리 없었다.

그런 세 사람은 내버려둔 채 무녀가 일어나더니—— 한 걸음. 기척도 없이 플럼의 눈앞에 섰다.

"마 댔고, 한번 해 보그라."

"아, 네. 그, 그럼 소라 님, 여러분."

무녀의 거동에 한순간 당황했지만 마음을 다잡으며 플럼이 날개를 펼치더니 말했다.

"피의 공급 없이 몇 번이나 쓸 수 있는 마법이 아니므로, 똑똑히 지켜보세요!"

플럼의 눈동자에 복잡한 모양이 떠오르는 것과 동시에, 실내에 부드러운 바람이 불었다.

밤을 짜 만든 것처럼 까만 플럼의 날개에, 지브릴의 광륜에서 보이는 기하학적인 것과는 전혀 다른—— 불규칙하게 일렁이는 붉은 선이 무수히 내달리더니, 이윽고 새빨갛게 물들었다.

피를 엮은 것처럼 새빨간 불규칙적인 선은 이윽고 플럼의 오른팔까지 침식해나갔다.

그 손이—— 천천히. 그러나 복잡하게 움직였다.

정령을—— 술식을 편찬해 마법을 이루어내는 기척에 이즈나와 무녀의 귀가 가늘게 반응했다.

그러나 마법은 전혀 감지하지 못하는 이마니티—— 소라와 시로는 그것조차 알 수 없었다.

유일하게 마법을 정확히 인식하고, 편찬한 술식의 의미까지 보이는 지브릴이.

"——아니…… 설마, 정말로?"

그렇게, 정말 의외라는 듯 중얼거렸다.

몇 초의 간격을 거쳐—— 플럼이 천천히, 그 손을 무녀에게 내밀었다.

——한순간.

무언가가 터지는 듯한 소리가 나며 무녀의 주위에서 소용돌이치듯 붉은빛이 내달렸다.

————.

…………응?

"……머꼬? 이기 마법 걸린 기가?"

딱히 아무런 변화도 느끼지 못한 듯한 무녀.

그러나 플럼은 웃음 속에 약간의 피로를 내비치며 말했다.

"네! 이제 해야 할 일은── 소라 님, 무녀님의──!"

"가슴을 주물러 주세요오!"

""……아앙?""

소라와 무녀가 동시에 말했다.

"그 '커맨드' 로── 술식은…… 완성될 거예요오!"

그러나 그 분위기를 깨달은 기색도 없이 확신에 가득 차 말하는 플럼에게, 한순간 시로와 시선을 나누는 소라.

시로가 고개를 끄덕인 것을 확인하고── 소라는.

"어─ 그럼, 무녀님. 괜찮, 겠어?"

"……마, 한다칸 거는 내데……. 사전설명도 읍었던 기 맘에 안 들지만."

담담히 말하며 무녀가 한숨을 한 차례 내쉬고 가슴을 출렁거렸다.

"……거 어째 영 껄끄럽지만…… 그럼 실례합니다……."

그렇게 말하며 조심스레 무녀의 가슴에 손을 대는 소라.

각오를 다진 것처럼── 콱 손에 힘을 준다.

──잠겨드는 듯, 그러나 되미는 듯한 탄력에 자신도 모르게 감탄사를 낼 뻔한 소라.

이렇게── 스테프 때하고는 또 다른 감촉에 감동하는 소라를 내버려둔 채.

"오오……?"
불쾌한 듯 눈살을 찡그리던 무녀가.
자신의 가슴속에서 무언가가 발동한 것을 느끼고, 표정이——
—— 변했다.
그리고 허공에 천천히 시선을 돌리더니——
황홀한 기색으로——
중얼거렸다.
"머, 머꼬? 온몸의 털이 곤두서는 거 같고…… 너무너무 징
그러븐 웃음 땜시 어이가 윽수로 읍어가꼬 짜증까지 합쳐진
거 맹키로—— 글나, 이기—— 이기 '사랑'이가?!"

"말이 되는 소릴 해 짜샤아아아! 사람 완전 좌절하게 만드
네!"
——역겨운 것을 보는 눈으로 읊조리는 무녀에게 소라가 지
체 없이 외쳤다.
그러나 소라의 규탄 따위 귀에 들어오지도 않는다는 듯 무
녀가 말을 이었다.
"글나, 이기 사랑——이라 카는 기가. 있을 수 없는 긴데,
진짜 분명 소라 씨에게 '반했다'고 단언할 수 있긋다. 쫌 알
긋네…… 이키 위장이 시큰시큰하면서 토할 거 같은 느낌이
사랑…… 세상 참 넓데이."

"——야, 플럼. 이거 실패한 거지?"

암만 봐도 실수했다고밖에는 여겨지지 않아 입술을 실룩거리는 소라. 그러나.

플럼은 오히려 자랑스럽게 가슴을 펴며 대답했다.

"후후후, 일단 들어주세요……. 그거야말로 포인트랍니다아."

——담피르이기에 해낼 수 있는 일이라며, 행복과는 인연이 먼 얼굴이 지금만큼은 빛나고 있었다.

"반하는 마법—— 고금동서 소문은 있을지언정 실현한 자는 없었던 마법이지만요오——"

반하는 약, 반하는 마법—— 판타지라면 흔해빠진 이벤트인데.

"——예. 인정하기는 어렵사오나 원리는 도저히 감도 잡히지 않나이다."

경탄을 감추지 못하는 지브릴이 말했다. 마지못한 기색으로 플럼의 위업을 인정하며 고개를 끄덕인다.

"연애감정처럼 술식 대상조차 정의할 수 없는, 불확정하고도 애매한 요소에 간섭하는 마법은 제가 아는 한 엘프조차 실현할 수 없었던 것이온데……."

아무리 환혹에 탁월한 적성이 있다 해도 담피르의 서열은 12위.

마법적성이라 바꿔 말해도 문제가 없는 서열이 7위인, 복잡한 술식편찬의 대명사 엘프조차 이루지 못했던 것을 해내고도, 정작 플럼은 별것 아니라는 투로 고개를 끄덕였다.

"네에, 어려운 이유는 '연애감정'의 정의가 불확정해서——
—— 다시 말해 사람마다 모두 다르기 때문이에요오."

조그만 날개를 파닥파닥 신나게 움직이며 플럼이 말했다.

에헴 소리를 낼 것처럼 가슴을 펴며 말을 잇는다.

"'한정 지을 수 없는 불확정요소'에는 어떤 술식도 무의미
하죠. 그게 흔히 '반하는 마법'이라 불리는 것들이 단순한
'발정마법'으로 그쳤던 이유였어요오—— 그러나!"

"아, 잠깐만, 플럼 양? 나 발정마법 쪽에 관심이——"

그러나 소라의 관심은 내버려둔 채 몸이 뒤로 넘어갈 정도
로 가슴을 젖히는 플럼.

"우리 담피르는! 마침내 그것을 이루었답니다아!"

"…………."

그리고 엘프조차 도달하지 못했던.

플뤼겔조차도 경탄케 하였던 그 마법의——

진리를, 밝혔다.

"불확정하다면 확정시켜버리면 그만이죠오! 어차피 사람마
다 제각각 다른 감정이 '연애'라면, 그 정의를 이쪽에서 마음
대로 내려버리면 그만 아니겠어요오!"

————뭘까, 이 궤변은.

게임에선 자주 등장하는 '반하는 마법'에 오늘만큼 위화감

을 품었던 적은 없었다.

흘끔 무녀를 쳐다보니—— 쓰레기를 보는 듯한 눈으로 소라를 돌아본다.

"……아니, 하지만 이건, 반한 게 아니잖아."

눈을 까뒤집으며 중얼거리는 소라.

"아뇨! 무녀님께서 그것을 '반했다'고 인식한다면 '반한' 거죠오! 어차피—— 연애감정 따위 착각이니까요오!!"

처억~~~.

잠입과 환혹—— 정신조작 및 인식조작에 가장 탁월한 종족이 딱 잘라 단언했다.

"……시로. 난 지금 전에 없을 정도로 사랑에 실망하고 있어."

"……사랑이란…… 뭘, 까…….."

그런 철학에 잠겨드는 남매는 내팽개쳐둔 채 플럼은 여전히 텐션을 높여.

"자자, 소라 님. 무녀님은 '징그러움'을 연애감정이라고 인식했을 거예요오! 여기서 한 번 더, 확~실하고 빡~세게, 그야말로 징그러운 대사로 결정타를 날려주세요, 자자!"

징그럽다 징그럽다 연호해대면 이것저것 하고 싶은 말이 치밀어오르지만—— 일단 꾹 삼키고.

"아———…… '무녀님 하악하악 할짝할짝 하고시푸다'……."

적당히 떠오르는 대로 중얼거린 소라의 말에 무녀가 반응하고—— 뒷걸음질치더니.

"아아…… 고마해라, 소라 씨. 안 된다. 자꾸 그라믄——더더 반해삘 거 같다 아이가♡"

"얀마 플럼!! 대사랑 태도가 다르잖아?! 완전 혐오의 눈길로 보고 있는데?! 눈빛으로 딱 잘라 '나가 죽어'라고 호소하고 있는데?!"

소라가 눈물을 글썽이며 플럼의 멱살을 잡을 기세로 외쳤다.

그러나 플럼은 여전히 자랑스럽게 에헴 고개를 가로저으며 말했다.

"저게 무녀님에게는 사랑의 형태예요오. 그런 식으로 된 거라구요오. 훌륭하죠오?"

"훌륭한 거 알았으니까 냉큼 해제해! 내 멘탈이 마하로 깎여나가겠다!"

——아니야. 반하는 마법이란 이런 게 아닐 거야…….

——————…………

"이야, 재미진 체험이었구마…… 오래 살고 볼 일이데이."

술식이 풀려 깔깔 즐거이 웃고 있는 무녀.

그것을 곁눈질하며 —— 상처 입었음을 드러내지 않도록 —— 소라는 플럼에게 말했다.

"그래, '필승비책'이란 건 잘 알겠어. 하지만 왜 너희가 직접 안 하고?"

이 정도로 확실히 반하게 만들 수단이 있다면 담피르 자신이 하면 그만 아닌가.

그러나 플럼은 어깨를 늘어뜨리며 대답했다.

"담피르의 마지막 남자는 아직 어려요오……. 여왕님이 원하는 건 '왕자님' ──."

손을 빙글빙글 돌리며 마법진 같은 것을 띄우더니 플럼이 말을 이었다.

"이 마법은 인식을 위장하는 마법……. 아무리 이 마법이라해도, 이를테면 무녀님이 굴러다니는 돌멩이에게 '반하게 만드는' 건 무리거든요오……. 하다못해 생식능력이 있는 남성이어야만 해요오."

──그때, 조용히 소라의 옷깃을 잡아당긴 시로가 핸드폰을 보여주었다.

핸드폰에 쳐놓은 문자를 흘끔 보고── 소라는.

"……흐음…… '그럼 딱히 빠야가 아니어도 된다'라. 지당한 말이네."

──소라의 말에 무녀와 이즈나의 귀가 꿈틀 움직였다.

"야, 플럼. 여왕의 게임이란 건, 여러 명이 도전해도 딱히 상관은 없는 거야?"

"네? 아, 네. 아마도요오……. 여왕님의 꿈에 간섭할 술식이 그만큼 커질 테니 힘들기는 하지만…… 반대로 질문드리자면, 왜 소라 님 혼자선 안 되나요오?"

"미안하지만 '치트'는 최종수단이야. 기왕이면 정공법으로 우선 승률을 확보해두고 싶어."

"야바위꾼이 말은 잘한데이……."

"어라라, 무녀님까지 무슨 뜬금없는 소리를 하지? —— '치트'는 규정에서 벗어난 필승의 반칙. 속임수는 '들키면 패배한다는 규정에 맞는 수단'이라고. 근본적으로 달라."

——무녀나 다른 사람은 모르겠지만 소라와 시로는—— 원래 세계에서도.

밀당이나 속임수는 썼지만 '치트'는 한사코 쓰지 않았다.

"게임이란 규정된 규칙의 범위 내에서 할 수 있는 한 최선을 다하는 거야. 근본 규칙을 무시하면 그건 게임이라고 할 수 없어. 버그 이용도 치트 캐릭터 이용도 '공식'이라면 쓸 테고, 이기기 위해 수단은 가리지 않아—— 하지만 규정을 벗어난 건 딱 잘라 말해, 아웃이지."

그렇게 말을 맺었다.

그리고 소라가 마침내—— 무녀에게 시선을 돌리며 고개를 끄덕였다.

"——이봐, 무녀님. 당신—— 헤엄칠 수 있어?"

그러나 그 질문에 무녀는 고개를 옆으로 가로쳐어 대답했다.

"——헤엄 몬 치도 물속에서 걸을 수 있으믄 대는 거 아이가. 와?"

"무녀님만 좋다면 이 녀석 이야기에 OK해서—— 오센드에
가볼까 하는데."

"……흐음, 마, 그래 대나. 대겠지. 대가도 나쁘지 않고,
'이길' 가망도 있고."

"저, 정말요오?!"

"——무녀님, 당신이 아는 사람 중에서 괜찮은 놈 없어?"

그 질문에 무녀는 살짝 생각에 잠기더니.

잠시 후—— 입을 손으로 가린 채 대답했다.

이제부터 일어날 소라의 표정 변화를 떠올리고.

웃음을 참지 못하는 입가를 가리며 무녀가 말했다.

"——'하츠세 이노'. 갸는 아내가 '서른 명' 있다 카드라."

■ ■ ■

에르키아 왕성, 왕의 침실.

오랜만에 편안한 수면에 몸을 맡기며 꿈속을 헤매던 스테프
는——

성을 뒤흔드는 폭음과, 그것마저 뒤덮어버릴 포효에 침대에
서 굴러떨어졌다.

**"영가아아암 이야기는 다 들었다! 네놈은
죽을 운명이다!!"**

"뭐, 뭐지요?!"

머리를 부딪쳐 고통에 몸부림치던 스테프는 목소리를—— 아니, 절규를 듣자마자.

모든 것을 이해한 것과 동시에 소리가 난 방향으로—— 다시 말해 대회의실로.

잠옷 바람이란 것도 잊은 채 시트를 붙들고 뛰쳐나갔다.

과연. 대회의실 문을 박차듯 뛰어든 스테프가 본 것은.

아마도 —— 아니, 틀림없겠지만 —— 조금 전 폭음의 정체이리라 여겨지는 지브릴과.

또한 그 폭음 탓인지——

"뭐, 뭐예요 이 참상은……."

스테프를 대신해 게임을 하던 하츠세 이노, 그리고 대전상대 —— 제후들이겠지만 —— 의 카드와 수많은 서류가 허공에 흩날리며 연기를 뿜어내는 대회의실의 끔찍한 몰골이었다.

그리고 그 천재지변의 근원이 스테프를 알아본 듯.

"어머, 도라이양. 그간 평안하셨는지요. 마스터께서 지금 당장 에르키아로 공간전이하라고 명령하셨으나 인원이 많았던 탓에 공간에 조금 큼지막하게 구멍을 뚫었는데—— 무사하셨나요?"

——무사하지 않았을 가능성도 있었단 소리일까.

그러나 그것보다도—— 창졸간에 눈을 의심하는 스테프.

연기를 가르며 바닥을 뚫어버릴 기세로—— 소라가 이노에게 달려가 외치고 있었다.

　"피고 하츠세 이노! 리얼충 짓거리를 만끽해 아내를 두 자릿수나 얻은 너의 대죄! 뇌내약식재판에 회부하여 모든 나의 독단과 편견에 따른 만장일치 유죄판결로 너에게 사형을 선고한다! 은하의 법칙에 따라 지금 이 자리에서 네놈은 우주의 티끌이 될 줄 알아라아아!!"

　"……음…… 소라 님, 드리고 싶은 말씀은 하늘 높이 우뚝 솟을 정도로 쌓여 있사오나……."
　보름 만에 나타난 탕왕—— 그리고 덧붙이자면 광란하는 왕에게.
　실룩실룩 무언가를 꾹 참고 있던 이노—— 그러나.
　불쑥, 소라의 뒤에서 나타난 이즈나의 한마디가 이노를 얼어붙게 만들었다.

　"……영감……. '섹ㅇ몬스터' 냐, 요?"

　"으헉?! 이즈나 어디서 그런 말을——!"
　그러나 의미는 모르는지 이즈나는 어리둥절 고개를 꼬았다.
　"……소라가, 영감 그렇게 불렀다, 요."
　"이 대머리 원숭이가!! 네놈은 남한테 일을 산더미처럼 떠넘기곤 손녀에게 뭘 가르친 거냐, 아앙?!"

견디다 못해 예의고 격식이고 내팽개치며 테이블을 때려부순 이노가 노성을 질렀다.

그러나 소라는 그 모습에 요란하게 하늘을 우러러보며 손을 휘저어대다 척 가리켰다.

"하! 봐라, 이즈나! 이것이 정곡을 찔린 대죄인의 얼굴이란 다얼마나추악하냔말이다!!"

이즈나가 어이없다는 표정으로 툭 내뱉었다.

"……영감, 절조가 없구나, 요."

"뭣———— 아, 아니다, 이즈나! 이 할애비는 모두에게 사랑을——"

"아~ 아~ 닥쳐닥쳐 이 하반신의 노예야! 변명하지 말고 산뜻하게 자결—— 쿠헉!!"

"……빠야…… 시끄러워…… ."

소라의 등에 업혀 있던 시로가 살짝 중얼거리면서, 소란을 피워대는 소라의 목에 감았던 팔에 살짝 힘을 주어 입을 다물게 만들었다.

——그리고 연기가 걷혔을 무렵.

"깔깔깔, 참말로 은제 바도 시끌벅적하구마…… ."

방울 소리와 함께 또각 바닥을 울리며—— 금색 여우가 모습을 나타냈다.

"아니—— 무, 무녀님?!"

그 모습을 보자마자 즉시 땅에 꿇어 엎드린 이노에게 무녀가 말했다.

"하츠세 이노—— 인자부터 그대는 '전원을 이끌고' 오셴드로 가그라."

진심으로 즐겁다는 목소리와 함께 말을 잇는다.

"설명은 가믄서 하긋다만, 이번에는 그대의 나쁜 여자 버릇을 발휘해주야긋다. 상관없긋제?"

"무, 무녀님…… 무녀님까지 저를 그런 눈으로——."

눈물로 바닥을 적시며 끙끙거리는 이노. 그러나 무녀는 살짝 목소리를 깔며 다시.

"——상관없긋제?"

그렇게 물었다.

——이노가 고개를 들고 주위를 둘러보았다.

그 자리에 있던 일동의 얼굴을 둘러보고, 대체 무엇을 이해하였는지—— 한마디로 대답했다.

"……존명. 맡겨만 주시옵소서."

"——……."

상황을 따라잡지 못해 문 앞에 멀거니 서 있던 스테프를.

"여, 스테프. 건강한 것 같아 다행이네. 2주 만인가?"

——드디어 알아보았는지 태평하게 소라가 말했다.

그 모습에—— 스테프의 가슴에는 무수한 감정이 소용돌이쳤다.

분노, 매도, 언급, 추궁——.

그러나 그 모든 것보다도, 오랜만에 본 소라의 얼굴에 시야가 뿌옇게 흐려졌다.

소라의 얼굴을 보면 말해주어야겠다고 결심한 수많은 말도 모두 날아가고.

스테프는 눈을 질끈 감아 눈가에 떠오른 눈물을 굳이 그대로 남긴 채.

그것이 어떤 감정에서 유래했는지는 굳이 생각하지 않고 감정이 시키는 대로 입을 열——

"호오, 에르키아 짝도 이만키로 정책을 추진해놨나—— 하츠세 이노가 시켰나?"

"스테프겠지. 이노는 어디까지나 견제랑 어드바이저로 놓아두었을 뿐이니."

"……에?"

——이렇게.

갑자기 들린 무녀와 소라의 말에 그저 얼빠진 소리만을 냈다.

의외의 대답에 눈을 동그랗게 뜨는 스테프를 내버려두고 무녀는 다 알겠다는 듯 웃었다.

"——마, 마. 연방구축인지 먼지 구상 내노코 당사자인

'왕'은 둘 다 동부연합에 눌러앉아 놀고 있다 캤드만, 그리 댄 거가……. 은제 바도 깜찍한 남자구마."

대담한 표정으로 말하는 무녀에게 똑같은 웃음으로 되받아치며 소라가 말했다.

"병은 의사에게 약은 약사에게—— 정치라면 스테프에게 맡겨두면 된다니까."

"……거다가 '댁이 없다' 카믄 더 그렇겠제."

"그래. 우려했던 건 이 기회를 틈타 남의 나라에 간섭할 수 있었다는 거였으니까."

——흠칫하는 이노와 스테프.

그러나 마찬가지로 서류를 바라보며 시로가 태연히 말을 이었다.

"…… '빠야랑, 시로가, 없다'……. 암만, 생각해도…… '함정'……."

그리고 이어지는 말.

"……그런 함정, 에…… 뛰어드는 건…… 바보들, 뿐."

"그런 얼간이들이 평소에도 나랑 시로를 상대로 게임을 해—— 질 때마다 배워나갔던 스테프하고 붙어서 퍽이나 이기겠다. 따라서 안심하고 동부연합에 집중할 수 있었단 말씀♪"

아연실색 입을 벌린 채 넋을 놓을 수밖에 없는 스테프와 이노.

그러나 소라는 살짝 표정을 굳히더니.

"하지만 이 빈도는 너무 심하잖아. 스테프, 왜 승부를 천부 받아들였어?"

──그 말에 스테프의 생각이 얼어붙었다.

그러고 보니…… 그렇지 않은가── 왜 자신은 모든 승부를 받아들였을까.

게임 내용은 물론 시합을 할지 말지까지 포함해, 결정권은 도전을 받은 쪽에 있다.

왜 이렇게까지 한사코──.

그렇게 눈을 동그랗게 뜨며 자신에게 질문을 던지는 스테프. 그러나 이어지는 소라의 말.

"스테프── 널 의지하지만 무리는 하지 마. 그리고── 그 뭐냐."

그리고 소라는 조금 멋쩍은 듯 머리를 긁으며, 중얼거렸다.

"고맙, 다."

──그 말을 듣고 싶었다.

그저 그 한 가지 마음으로 이렇게까지 필사적으로 노력했다.

배어나오는 눈물, 그 눈물의 뜻. 이해가 뇌에 침투해 체온상승── 뺨의 홍조를 느낀 것과 동시에.

"아, 아녜요…… 소라랑 시로가 무슨 생각인지 알 수 없으니까, 아무튼 서두르려고── 그냥 그게 다예요!"

갈팡질팡 말하는 스테프. 바짝 다가오는 소라.

더욱 쿵쾅거리는 심장.

소라가 말했다.

"그래서 스테프. 피곤한데 미안하지만, 무녀님도 말했듯 세이렌 도시에 갈 거야."

"네? 어, 네……. 그, 그런데요?"

시선을 피하는 스테프.

흘끔 시선을 한쪽으로 돌리는 소라.

그곳에는 낯선—— 참으로 행복과는 인연이 먼 얼굴을 한 까만 소녀가 있었다.

"세이렌이랑 담피르가 쫌 멸망할 것 같아서, 구해주러 다녀와야겠어—— 아니, 정확하게는."

그리고 여느 때처럼 스스럼없이.

"동부연합하고 연방을 구축하기 위해 치명적으로 부족한—— 자원이랑 영토를 확보하고 와야겠어."

그렇게 내뱉는 소라에게 스테프의 눈시울이 살짝 뜨거워졌다.

역시—— 이 사람은 누가 뭐래도, 모두 에르키아를 위해——

그리고 이번에는 시로가 다가온다.

"……그래서 스테프…… 재봉, 할 수, 있어……?"

"——네?"

"그러니까, 바다에 갈 거라고. 머릿수대로 수영복을 만들어줄 수 있겠어? 디자인은 넘겨줄 테니까."

──그것은 곧 이 상황에 일이 더 늘어난다는 뜻이어서.

　스테프는 웃는 얼굴로, 그저 말없이, 기절하기로 했다──

──…….

⏻ 제2장 태양 ^{Strategist}

——바다.

레저 스포츠로 말하자면 산과 함께 양대 메이저 스팟.

여름이 되면 수많은 사람들이 빛에 모여드는 벌레처럼 본능적으로 모여드는 곳.

——사실, 발에 달라붙는 모래는 몸에서 떨어질 줄을 모르고, 햇볕에 탄 피부는 오래도록 몸을 괴롭히며, 바닷바람은 머리카락을 초 단위로 잠식하는, 냉정하게 생각하면 대체 무엇이 즐거운지 전혀 알 수 없는 리얼충 전용 필드.

그러나—— 그런 가증스러운 스팟도 상황이 달라지면 이야기 또한 달라진다.

"——후우…… 행복하구만♡"

지우산 같은 파라솔 밑에서 풀을 엮은 침대에 누워 한 손에는 유리컵을 든 소라.

양쪽에는 무녀의 시종으로 보이는 여러 명의 동물귀 소녀들이 커다란 잎으로 부채질을 해주고 있다.

앞이 탁 트인 한텐 —— 동부연합의 수영복이라고 한다 —

── 사이로 엿보이는 가슴, 하반신만을 가려놓은 천에서 늘씬하게 뻗어나온 맨살, 이와는 대조적으로 털에 덮인 귀와 꼬리는 햇살보다도 눈부시다.

손에 든 잔을 찰랑거리며 소라는 생각했다── 이곳이 천국이라고.

"……소라 님. 이런 땡볕에서 참으로 태연하게…… 팔자 좋으시군요."

싸늘한 목소리로 말하는 이노. 그러나 소라는 눈을 돌리지 않고 대꾸하고.

"음! 지브릴이 준 빛 정령 배합인지 뭔지 하는 수수께끼의 선크림 덕이지 ♪ 그보다도──"

이내 의문이 담긴 목소리로 물었다.

"영감. 굳이 시야 안에 두지는 않고 있는데, 설마 훈도시 한 장만 걸친 건 아니겠지?"

"소라 님, 이상한 질문을 하시는군요……. 사나이가 물에 들어가거늘 훈도시 말고 그 무슨 선택지가 있단 말씀입니까?"

소라의 예상대로 ── 훈도시 한 장만 걸친 ── 근골 우락부락한 노인이 알 수 없다며 고개를 갸웃한다.

짜증 섞인 한숨과 함께 소라는 자신을 가리키며 중얼거렸다.

"이봐, 영감. 날 봐줘. 어떻게 생각해?"

"──소라 님, 그런 취향이셨습니까?"

혐오감이 담긴 목소리가 몇 발짝 뒤로 물러나는 기척에 소라는 벌떡 일어나며 외쳤다.

"치매 걸렸냐 영가아암! 반바지에 셔츠! 이것도 훌륭한 수영복이라고!"

그러나 이노는 설레설레 고개를 가로저었다.

"빈궁한 몸을 드러내기 싫으시단 말씀이군요. 잘 생각하셨습니다, 소라 님. 치부를 가리는 것 또한 예의지요."

"네놈처럼 마초가 될 생각은 없거든! 그리고 빈궁하다고 하지 마! 전에 이즈나랑 FPS 한 다음부터 체력도 중요하단 걸 알고 운동 중이란 말이다 이래 봬도!"

그렇게 외치고, 한 차례 혀를 차고는 다시 드러눕는 소라.

──고작 윗몸일으키기, 팔굽혀펴기 50번이 한계여서 스스로도 놀랐다는 이야기는 굳이 하지 말자.

"……그보다, 다른 사람들은 아직 멀었어?"

"여성은 준비에 시간이 걸리는 법입니다, 소라 님── 아, 실례. 금시초문이신지?"

"마초 영감이랑 대화 나누기 괴롭다는 은유도 안 통하시나?! 아앙?!"

눈을 흘기며 외친 소라가 시선을 뒤쪽으로 돌렸다.

"시로오~ 아직 멀었어~?"

"……응, 아직…… 조금…….'"

소라의 뒤쪽── 나무 그늘에서 시로의 목소리가 들렸다.

무언가 부스럭부스럭 기척은 느껴지지만 혼자 옷을 갈아입느라 고생하는 모양이다.

"다른 여성진과 탈의실에서 갈아입으셨으면 좋지 않았겠습니까."

"그러게. 나도 그렇게 주장했고, 호되게 쫓겨났지만 말이야…… 네놈에게!"

소라와 시로는 떨어질 수 없다. 옷을 갈아입을 때도 예외는 아니다.

그런 자명한 이치에 따라. 여느 때와 똑같이.

자연스럽고도 당연하게, 내추럴하게.

시로를 따라 소라도 여자 탈의실로 들어가려 했다가──

호되게 쫓겨나는 바람에 현재에 이르렀던 것이다.

"무녀님의 알몸을 엿보려 하다니, 테토가 용서해도 제가 용서 못합니다."

"무녀님은 '벨로 상관없구마~.' 그랬잖아──!"

훈도시 바람의 근육 영감이 노려보는 바람에 자신도 모르게 물러났다는 사실에 후회가 엄습했다.

──지금이라도 이노를 굴복시킨 다음 쳐들어갈 수는 없을까?

그런 책략을 머릿속에 그려보려던 소라. 그러나──

"……다 입었다, 요."

"허허…… 역시 이즈나는 뭘 입어도 귀엽구나."

어린 소녀의 목소리와 갑자기 호호할배가 된 이노의 태도에 고개를 돌려보았다.

제일 먼저 옷을 다 갈아입고 나타난 이즈나에게 살짝 가슴을 쓸어내리는 이노.

"소라 님이 치정한 수영복——이라는 말씀에 어떤 파렴치한 행위를 강요당하는가 싶어 걱정했습니다만."

"뭘 모르는구만, 영감. 우선! 어린 소녀에게는 '스쿨 수영복'이 정석이란 말이다!"

커다란 꼬리를 흔들며 모래밭을 오종종 걸어오는 이즈나.

그녀의 수영복은—— 소라네 세계에서 말하는…… 구형 스쿨 수영복.

당연히 본래 이 세계에는 존재하지 않는 것이다.

좀 더 자세히 말하자면 폴리에스테르 같은 화학섬유는 동부연합에도 없다.

그러나—— 본래 스쿨 수영복은 2차대전 이전 시기에 비단으로 만들던 것.

태블릿 PC 안에 들어 있던 부자연스러울 정도로 상세한 정보를 토대로 스테프가 멋들어지게 만들어냈다.

스테프—— 훌륭하구나. 굿잡이구나.

"……그러나 정말로 노출은 적군요."

"다시 말하지만 뭘 모르는구만, 영감. 문화를 가미하지 않고 어찌 낭만을 말하겠나!!"

——그렇다. 이즈나는 그런 스쿨 수영복 위에다.

주위의 워비스트 소녀들과 마찬가지로 앞이 트인 한텐 같은 후리소데를 걸친 것이다.

동물귀. 어린 소녀. 스쿨 수영복. 그리고 동부연합이라는 문화의 조화——!

——이것이——

——소라의—— '해답'이었다…….

소라의 곁까지 다가온 이즈나가 자신의 뒷모습을 확인해달라는 듯 휘릭 돌아섰다.

"이러면 되는 거냐, 요?"

"퍼어퓈트……. 원래부터 반칙적으로 귀여웠다만, 이제는 문화유산 수준이 되었군."

상큼한 호청년의 웃음으로 엄지를 세우는 소라에게 대꾸하는 이노.

"……무슨 말인지는 잘 모르겠으나 손녀에게 천박함을 요구하지 않았던 점만은 솔직하게 평가해 드리지요."

——그리고.

"저, 저기…… 가, 갈아입고 왔어요."

"오, 스테프. 야~ 정말 끝내주게 잘 만들어————"

부끄러움이 묻어나는 스테프의 목소리에 돌아보며 감사 인사를 하려다—— 소라는 굳어버렸다.

얼굴에 홍조를 띤 스테프는 평상시 입던 옷의 이미지를 그대로 살려 반투명한 소재의 프릴과 팔레오를 투피스 수영복에 걸치고, 우물쭈물 시선 둘 곳을 찾지 못했다.

소라가 아는 한 에르키아에 그러한 '수영복'은 없을 터.

에르키아의 수영복이라고 하면—— 그거였다.

19세기 서유럽을 방불케 하는, 전신 드로워즈를 수영복이

라고 지껄여대는 유감스럽기 그지없는 물건.

그렇기에 스테프에게 부탁해 수영복을 만들어달라고 했던 것인데.

표정으로 추측컨대 소라와 시로가 주문한 수영복 디자인에 자신도 맞춘 모양이다.

그러나 소라가 굳어버린 것은 그 수영복이 원인이—— 아니었다.

톱스에서 넘쳐날 것만 같은 풍만한 '그것' 에—— 뇌리를 휩쓴 숫자에 굳어버린 것이다.

"——마, 말도 안 돼. 89, 58, 89…… 전투력 50만이라고——?!"

"어——어떻게 아는—— 게 아니라! 무슨 소리를 하는 거예요!!"

스테프의 생각지도 못한 '가슴둘레도' 에 치솟는 뇌내 스카우터. 소라는 전율했다.

이럴 수가.

이제까지 수증기느님의 활약이 과도하여 보지 못했던 것인가?!

"……끄, 끄응…… 스테프 주제에, 무슨 레벨이 이렇게 높은 거야————!!"

"어, 아, 그, 그런가요? 그, 그렇지도, 않은데……."

딱히 싫지만은 않은 듯 우물쭈물하는 스테프.

한두 마디 더 해볼까 하고 소라가 입을 열었을 때——

"면목 없나이다, 마스터. 희망하신 모습을 '짜는' 데 시간이 걸렸나이다."

"깔깔깔. 개안타 개안타. 남자를 기다리게 해서 애를 태우는 것도 멋진 여자의 예의다."

두 목소리에 일동이 돌아본── 그 순간. 소라의 뇌내 스카우터는 폭음을 내며 날아갔다.

소라, 그리고 이노는 무언가를 생각하기도 전에 본능에 몸을 맡기고.

그렇게 하는 것이 의무라고 느껴 그저 땅에 몸을 내던지고 있었다.

돌아본 곳에 있던 것은 그야말로── 두 여신이었다.

두 여신── 그중 하나는 지브릴.

빛을 난반사하여 색을 바꾸는 긴 머리카락은 바다의 햇살과 바람에 흔들려 한층 찬연했으며.

어떤 조각사의 마음도 한눈에 꺾어버릴 것처럼 궁극이라 부를 만한 조형미.

그 예술품과도 같은 몸을 덮은 것은 소라가 지정한 수영복.

평소에도 노출도가 높았던 지브릴에게 일부러 골라준, 복부가 끈으로 짜여진 원피스.

큼지막한 스톨을 팔레오처럼 감았으며, 허리에서 뻗어나온 것은 담담히 빛나는 날개.

머리 위에서 회전하는 광륜은 여기에 신성함을 한층 가속시켜.

하늘에서 강림하였음을 의심할 여지를 빼앗아가는, 가차 없는 아름다움이었다.

두 여신── 그중 하나는 무녀.

황금색 머리카락과 귀와 꼬리, 그리고 하얀 피부를 햇살에 드러낸 모습은 비유하자면── 후광.

다소 조심스러운 라인. 그러나 지브릴이 궁극이라면── 이쪽은 지고.

평소에는 전통복식에 싸여 있던 그 부드러운 피부를, 다른 워비스트처럼 한텐 같은 수영복으로 감쌌지만.

밤나비처럼 흐트러진 매무새 사이로 엿보이는 나긋나긋한 어깨는 고혹적이며.

한 걸음 모래를 밟을 때마다 천천히 흔들리며 빛나는 황금색 머리카락과 두 개의 꼬리, 얼굴에 떠오른 요염한 웃음은.

영원을 살아가며 신의 경지에 이른다는 요호(妖狐)── 그들의 정점에 서는 천호(天狐)가 실존함을 확신케 했다.

땅에 꿇어 엎드린 두 남자의 뺨에 눈물이 흘러내렸다.

어째서인지는 알 수 없었다. 그러나 알 수 없어도 기도했다.

"……이 하츠세 이노, 태어나 이제까지 살아온 의미를 마침내 깨달았나이다아아──!"

"오오 신이여! 어디 계신 뉘신지는 모르겠으나 이 천지에 지브릴과 무녀님을 만들어주신 어마무지한 센스를 가진 GOD이여── 아아, 제자로 삼아주세요……."

──종교의 탄생.

그 귀중한 장면을 목격한 스테프와 이즈나. 그러나.

"──저기요. 그야 비교당하면 어쩔 수 없지만…… 대접이 너무 다르지 않나요."

"……? 다들, 모래가 눈에 들어갔냐, 요?"

오체투지한 두 사람과 스테프를 번갈아 보며 이즈나는 그저 고개를 꼴 뿐이었다.

"아아, 마스터! 분에 넘치는 영광이옵니다만 고개를 들어주시옵소서!!"

"마, 개안타. 내 수영복 차림을 봤다는 행복을 곱씹으며 한껏 배알하도록 ♪"

두 사람의 말에 조심스레 소라와 이노가 일어난다.

숫제 신성하기까지 한 두 사람의 모습에 다시 시선을 맞추었다가, 소라와 이노는 나란히 하늘을 우러렀다.

"……어쩐지, 이제는 충분하고도 남을 정도로 탐닉했다는 생각이 들어."

"……그렇군요. 다 이루었다는 기분에 가슴이 벅차오르는 군요."

"……그만 돌아갈까."

"……웬일로 의견일치를 보이는군요, 소라 님."

──두 사람의 현자 타임이었다.

견원지간인 두 사람. 그러나 이 자리에서는 응어리도, 종족의 벽도 존재하지 않았다.

두 사람은 그저 같은 사나이로서, 같은 하늘을 우러러, 같은 마음을 가슴에 품고 서로에게 고개를 끄덕였다.

——왜 사람들은 다투는 걸까.

세계는 이렇게나 아름다운데——

"아니, 잠깐 기다려 보시라고요! 무엇 때문에 여기까지 왔는데요!"

그런 깨달음의 지평선 너머로 사라지려는 두 사람에게 스테프가 소리를 질렀다.

——글쎄.

"……왜 왔더라."

"외람된 말씀이오나 마스터, 세이렌의 도시로 가기 위함이라 기억하나이다."

……맞아맞아 그랬지.

드디어 기억해낸 소라.

——그랬다. 지브릴의 말대로 딱히 해수욕이나 하러 왔던 것은 아니었다.

이곳에 온 이유는, 세이렌이 마중용 배를 가져올 거라는 플럼의 말 때문이었다.

왜냐하면 세이렌의 도시——'오셴드'는 해저에 있으니까.

지브릴도 가본 적이 없거니와 눈으로 볼 수도 없는 곳이므로 공간전이는 불가능하다.

따라서 이제부터는 플럼이 안내를 해 준다는 이야기인데 ——.

"근데 정작 중요한 플럼은 어디로 갔어?"

"여, 여기요오⋯⋯."

"으헉?!"

발밑에서 들린 조그만 목소리에 소라가 펄쩍 뛰었다.

언제부터 그곳에 있었는지, 존재감도 없는 발밑의 궤짝에서 두 눈이 살짝 엿보였다.

"⋯⋯어라, 너 플럼이야? 뭐 하는 거냐? 바다라고, 바다."

"마, 말도 안 되는 소리 하지 마세요오⋯⋯. 저, 저한테는 이게 최선인걸요오?"

마법을 쓸 때의 무늬가 떠오른—— 어째서인지 눈물까지 떠오른 눈으로 플럼이 대답했다.

"마스터. 담피르에게 직사광선은 치명적이옵니다. 저 궤짝 안이라 해도 빛을 구부리지 않고선——."

지브릴의 말에 소라는 '병'에 대한 기억을 떠올렸다.

흡혈로 감염된다면 담피르 본인도 햇빛은 아웃이란 말인가.

"⋯⋯오셴드에서 '마중용 배'가 나오는 건 밤인걸요오? 왜 이런 한낮에⋯⋯."

——그렇다.

해가 진 다음 마중용 배가 오기로 되어 있다.

어째서 지옥의 불가마와도 같은 백주대낮에 왔는지 불만을 드러내는 플럼. 그러나 소라는.

"아니, 그치만 바다인걸. 이 멤버로 수영복 이벤트를 건너뛰다니, 제정신이야?"

——소라도 지브릴이 준 수수께끼의 '선크림'이 없었으면 사양했을 테지만.

"아, 맞아. 지브릴? 그 선크림은 플럼에게는 안 통해?"

"유감이오나 마스터, 담피르는 '햇볕에 몸을 드러내는' 것 그 자체가 치사성이옵니다."

방법이 없다고 단언하는 지브릴. 그러나 플럼이 수정했다.

"어, 아뇨…… 더 강력한 술식을 짜면 괜찮아요오……. 하지만 힘의 소비가 말이죠오."

소라 일행의 곁에 처음 나타났을 때 보였던 그 지친 모습을 떠올려보았다.

말하자면 이 땡볕에서 태연하게 활보하려면 그 수준의 초췌함이 따라온다는 뜻이리라.

"그, 그게…… 세이렌의 피 정도 가지고는, 뭐랄까, 벼, 별로 대단한 힘은 낼 수가 없어서요오……. 그러니까."

궤짝에서 언뜻, 활짝 멋들어지게 웃음을 짓는 플럼.

"다시 한 번! 시로 님의 다리를 핥게 해 주신다면 문제없이 술식을~ 에헤헤~☆"

"기각. 넌 거기 짱박혀 있어."

싹둑 일도양단당한 제안에 플럼의 울음소리만을 남기고 궤짝은 덜컹 닫혔다.

"……야. 서열 12위인 것치곤 플럼 약하지 않냐?"

──원래 세계의 흡혈귀 설정을 보고도 늘 생각했던 거지만.

그 의문에는 지브릴이 대답했다.

"담피르는 섭취한 피── 영혼의 강함에 따라 힘이 증폭되옵니다. 원래의 뛰어난 환혹 및 잠입마법 적성에 걸맞은── 가령 엘프의 피를 섭취한다면 최악의 '암살자'가 완성되는 것이옵니다. 실제로 대전 당시에는 나름 위협이 되었나이다."

……그렇구만.

소라는 처음 플럼을 만난 날 밤을 돌이켜보았다.

방심했다고는 하지만 지브릴조차 한 번은 속였다── 그러나.

"──그게 지금은 이 꼬라지란 말이지……."

발밑의 궤짝을 내려다보며 소라가 어이없다는 표정으로 말했다.

나무 궤짝 안인데도 여전히 벌벌 떠는 것이 전해질 정도였다. 보고 있자니 눈물이 다 난다.

"──전부터 생각했는데, 엘프랑 플뤼겔은 서열이 겨우 하나 차이인데 힘이 너무 다른 거 아냐? 엘프의 피는 마실 수 있으면서, 지브릴 건 마시면 증발한다며, 얘들?"

발밑의 궤짝을 가리키며 묻는 소라에게 대답하는 지브릴.

"예. 위계서열은 딱 그곳에서 '구분'이 되고 있나이다."

"구분?"

"간단히 말씀드리자면 7위까지는 '생물', 그 이상은 '생명'이옵니다."

"……잉?"

"물리육체를 지녔으며 통상수단으로 번식하는, 일반적으로 '생물'이라 정의되는 것이 7위 엘프부터 그 이하. 그 위쪽은 에너지나 개념이 의사를 가진 '생명'이라 생각하시면 되지 않을는지요."

──흐음. 그러니까 간단히 말해.

상식이 통하지 않게 되는 경계란 말이지.

소라는 그렇게 이해했다.

"참고로 지브릴의 하나 위── 거인종(巨人種)이었나? 걔들하고 너희하고 비교하면 역학관계는 어때?"

"……어떨는지요. 표준적인 기간트 한 마리를 단독으로 해치우기란 매우 어렵지 않을까 하옵니다. 만전을 기한다면 아군이 다섯 명은 필요하겠사오나── 아니? 혹시 해치우실 예정이 있으시옵니까? ♡"

"아니 없거든. 눈 빛내지 마!"

그 말에 실망한 낯빛을 감추지 못하는── 혼자서 '생물' 최상위의 엘프를 일격에 궤멸시키는 존재가.

여섯 명이 달려들어야 겨우 하나를 해치울 수 있는 것이 제5위.

──7위 이하의 종족은 참 용케도 '대전'에서 살아남았다

싶다.

그중에서도 이마니티랄까 우리랄까—— 어라.

"우리 하니 생각났는데…… 야~ 시로. 아직도 다 안 갈아입었어?"

문득 꽤나 시간이 흘렀다는 사실을 깨닫고 등 뒤의 나무 쪽으로 말을 거는 소라.

"…………응."

소라의 목소리에 반응하여 쏙 고개만 나무 그늘에서 내미는 시로.

어쩐지 나오기 주저하는 듯한 모습에, 소라는.

"왜 그래, 시로. 역시 햇살이 싫어? 힘들면 무리할 거 없어."

지브릴표 선크림을 발랐다고는 하지만 소라도 햇빛은 좋아하지 않는다.

게다가 시로는 그보다도 더 햇빛을 싫어한다는 사실을 잘 안다—— 하지만 그렇게 신경을 써 주는 소라에게, 시로는.

도리도리 고개를 가로젓더니, 슬그머니, 망설이면서도 그늘에서 나왔다.

"……호오~ 이거 참."

"어머나나, 참말로 기엽구마."

"……시로, 엄청 예쁘다, 요."

이노와 무녀와 이즈나가 각자 감상을 말하는 가운데—— 소라는 그저 굳어버렸다.

그곳에 있던 것은 틀림없이 눈에 익은 여동생이었다.

——여동생, 이어야, 하는데——.

"——……어?"

조심스레 나무 그늘에서 나타난 것은—— '보석 같은 소녀'였다.

평소 늘 보던 눈보다 희고 긴 머리카락은 꼼꼼하게 빗어 뒤에서 하나로 묶어놓았다.

햇살에 드러난 그것은 이제는 눈이 아니라—— 백수정이나 다이아몬드 같았으며.

머리카락과 루비색 눈동자를 은유한 듯한 하얀 비키니와 붉은 파카에서 엿보이는 맨살은——

"…………빠, 야……?"

——그녀의 뺨과 마찬가지로, 살짝 붉게 물들어 있었다.

"——어, 어라? 어?"

'여동생'에게 완전히 넋을 잃었다는 위화감에, 자신도 모르게 의문의 신음이 소라의 입에서 새나왔다.

그러나 그 신음에 시로는 얼굴에 불안의 빛을 띠었다.

"……역, 시…… 안, 어울려……?"

살짝 눈을 깔며 나무 그늘로 되돌아가려는 시로의 모습에 소라는 겨우 제정신을 차렸다.

황급히 —— 자신도 왜 그렇게까지 당황하는지 이상할 정도로 —— 고개를 가로저으며.

"아, 아냐아냐!! 시로가 너무 미인님이라 놀랐을 뿌——에
벳, 아, 아니 시로가 완전무결미인이라는 거야 오빠가 잘 알
지만! 알았……나? 어라?"

고개를 갸웃하며 이렇게까지 놀라는 자신에게 의문을 품는
소라는 내버려둔 채 시로는.

곁에서 똑같이 넋을 잃은 지브릴과 스테프를 보며. 심장이
콩닥거리는 표정으로.

——부끄러움에 고개를 숙이고.

겨우 알아볼 수 있을 정도로—— 안도의 웃음을 지었다.

"……응. 다행……이야……."

………….

"과연 마스터……. 황송할 정도로 눈복이 터졌나이다♡"

"아니에요, 아니라고요. 귀여움에 반응하는 건 정상이에요
오오!"

지브릴은 상큼하게 피부를 반들반들 빛내며 후우 한숨과 함
께 중얼거리고.

스테프는 이번에도 무언가에 갈등하듯 머리를 쥐어뜯으며
외쳤다.

"……빠야……?"

"어, 응? 으, 음, 잘 어울린다! 역시 이 오빠가 자랑하는 동
생!"

소라의 곁까지 다가온 시로를 보며 어떻게든 평소의 페이스

를 되찾으려 하는 소라.

거칠게 머리를 쓰다듬는 손길에 겨우 만족했는지 고개를 끄덕이는 시로.

"——마, 맞다, 플럼. '마중' 이란 건 구체적으로는 몇 시에 오는 거냐?"

어쩐지 민망함을 느낀 소라는 원래의 목적을 떠올리고 플럼에게 물었다.

그러자 소라의 말에 일동이 궤짝—— 플럼에게 시선을 보냈다.

궤짝에서 살짝 고개를 내밀며 플럼이 대답했다.

"어, 날짜가 바뀔 무렵……이에요."

"——으음, 한참 남았군."

그 말에 플럼이 어이없다는 목소리로 대꾸했다.

"그러니까 이렇게 일찍 올 필요는 없었다구요오…… 으으윽."

그 말만을 하고는 —— 어지간히 햇볕이 괴로웠는지 —— 다시 궤짝 안으로 돌아가는 플럼.

"마, 갠찮지 않긋나."

그렇게 태평하게 말하며, 어느샌가 아까 소라가 있던 풀 침대에 드러누워선 시종 소녀들의 부채질을 받으며 무녀가 우아하게 대답했다.

"오랜만에 휴가라 생각하고 느긋하게 기다리 보자. 인생에는 여유도 필요한 벱이제."

쓴웃음과 함께 머리를 긁으며 소라가 시로와 시선을 나눈다.

시로가 고개를 끄덕였다.

"생각해 보니 나랑 시로도 바다에 온 건 처음이네."

그리고 스테프, 지브릴, 이즈나, 이노에게 시선을 한 바퀴 돌리고 웃으며 말한다.

"좀 그럴듯하게 즐겨볼까요들?"

■ ■ ■

──희고 눈부신 백사장.

하늘을 거울처럼 비추며 빛나는 바다.

원색 잉크를 흘려놓은 듯한 푸른 하늘을 햇살이 꿰뚫으며 멀리 구름은 흘러간다.

두런거리는 파도 소리, 바닷새 소리만이 울려 퍼지는 가운데, 물을 첨벙이는 소리가 여럿 들린다.

발이 잠길 정도의 여울에서 뛰노는 일동에게 시로가 천으로 만든 비치볼을 던진다.

"⋯⋯스테프⋯⋯ 패스."

"이걸 연결하면 되는 거죠? 패스예요 이즈나 ♪"

시로의 패스를 능숙하게 토스해 이즈나에게 높이 띄워주는 스테프.

그러나 그렇게 날아온 공을 이즈나는 납싹 캐치했다.

갸웃 고개를 꼬며.

"……? 규칙을 잘 모르겠다, 요."

분위기를 파악한 스테프와는 달리 의도를 헤아리지 못했는지 곤혹스러워하며 이즈나가 중얼거린다. 그 모습에 소라.

"아~ 딱히 게임은 아니었는데…… 그럼 이렇게 하지. 공은 잡으면 안 돼. 공에 한 번씩만 접촉해서 상대에게 패스를 돌리고, 다음 사람에게 넘기지 못하면 패배하는 걸로."

"……알았다, 요……."

고개를 끄덕이는 이즈나를 흐뭇하게 바라보며.

"참 좋네요……. 가끔은 이렇게 느긋한 게임도 좋은걸요♪"

──그렇게 화기애애한 소리를 지껄이는 스테프는 아직 깨닫지 못하고 있다.

소라와 시로, 그리고 이즈나의 눈이 날카롭게, 칼날처럼 예리하게 바뀌었다는 사실을.

규칙을 설정하고 명료하게 만든 이상 이것은── 어엿한 '게임'인 것이다.

──그렇다면.

'──반드시 승리한다──!'

그렇게, 헤실거리는 스테프를 제외한 세 사람은── 번뜩 투지를 드러냈다…….

"……그럼, 처음부터 다시……. 시로가, 시작……."

공을 돌려받은 시로는 조용히 소라와 시선을 나누었다.

──공을 든 시로는 은근슬쩍 공을 바닷물에 적셨다.

"……자…… 스테프, 패스……."

그리고 아래쪽만 적신, 천으로 만든 비치볼은 회전하지 않고 스테프에게 날아갔다.

정확히── 바람이 불지 않는 순간까지 노려서.

"네네, 패스패스~ ♪"

교차하는 침묵의 밀담. 그러나 스테프는 이를 알아차리지도 못한 채 토스했다.

시로가 일부러── 스테프가 움직이지 않고 토스하면 살짝 엇나갈 지점에 던진 공을.

그 결과 스테프가 토스해 이즈나에게 날아간 공에는 회전이 더해졌다.

──아래쪽에만 스며든 물의 무게에 의해 불규칙적으로 궤도가 흔들렸다.

"────흡!"

그러나 이즈나는 이를 순간적으로 간파하고.

땅을 박차 물보라를 일으키며 공을 따라가더니 리시브했다.

단순한 리시브. 이즈나의 팔에 살짝 닿기만 한 공.

그러나 이즈나의 조그만 몸이 만들어내는 워비스트의 압도적인 힘이 건드린 공.

──겨우 그것만으로 무시무시한 속도를 얻은 공이 소라에게 육박했다.

하지만 소라는 당황하는 기색도 없이 내심 중얼거렸다.

'뭐, 그리 쉽게는 안 되겠지!'

이즈나의 리시브에 비치볼은 프로 배구 선수의 스파이크를 방불케 하는 속도를 얻었다. 이에 소라는.

일부러 물속에 요란하게 쓰러져 물기둥을 만들어냈다.

물기둥을 관통──하고도 나아가는 비치볼. 그러나 쓰러진 소라에게 닿을 무렵, 속도는 거의 사라지고 말았다.

억지스러운 자세에서 소라는 간신히 공을 발로 토스해 시로에게 보냈다.

──본격적으로 물을 먹어 무거워진 공을.

"……음, 스테프…… 파이, 팅……."

젖어서 단숨에 무게가 늘어난 공을 시로는 간신히 스테프에게 패스했다.

"어, 어머나?!"

그렇다── 스테프가 토스할 수 있는 아슬아슬한 곳에, 정확하기 이를 데 없이.

토스한다 해도 입사각과 반사각으로 봤을 때 스테프가──

"아, 미, 미안해요 이즈나──."

간신히 토스하더라도 이즈나에게서는 멀리 떨어진 위치로 날아갈 수밖에 없는 곳으로.

──토스 불가.

누가 봐도 그렇게 생각할 만한 애먼 방향으로 날아간 공. 그러나.

── '이겼다' 고 소라와 시로 살짝 입가를 틀어올렸을 때,

이즈나가 이를 악물었다.

"……웃기지 마—— 요!!!"

땅을 박차고 발을 내디디자—— 충격.

발목까지 찼던 물이 폭발적으로 퍼지며 땅을 드러냈다.

발을 내디딘 충격조차도 뛰어넘는 속도로 뛰쳐나간 이즈나.

해면을 활공하듯 공을 따라잡아선 그 속도 그대로 팔을 휘두른다.

팔에 맺힌 충격파만으로도 파도가 발생할 정도—— 그러나.

퍼엉…… 하고.

안개처럼 물이 퍼져나가며 이즈나의 손에서 폭발하는 공.

소라가 외쳤다.

"아자, 이즈나가 졌다!"

"——? ……윽! 치, 치사하다, 요! 비겁하다, 요!"

무슨 일이 일어났는지 한 박자 뒤늦게 깨달은 이즈나가 분한 듯 항의했다.

소라와 가볍게 하이파이브를 나눈 시로가 대답했다.

"……다음 사람에게, 패스 못하면 패배……. 이즈나는……온 힘을 다하면, 지는 거였어."

그렇다. 워비스트인 이즈나가 물을 흡수해 무거워진 공을 온 힘을 다해 치면.

그 순간 공이 충격을 견디지 못하고 터져 다음 사람에게 패스할 수 없게 된다──.

그것이야말로 소라와 시로의 노림수였음을 깨닫고 이즈나는 여전히 항의했지만.

──만일 그때 공이 터지지 않았다면 어떻게 됐을까.

이즈나가 폭발하는 기세로 발을 내디디고 팔을 휘둘러 발생한 파도에 휩쓸리면서…… 스테프가 중얼거렸다.

"……여러분…… 느긋하게 놀겠다는 생각은 없는 건가요."

"응? 게임이라면 전혀 없는데."

"……털끝만큼도…… 없는……데?"

"게임이라면 온 힘을 다해 이기려고 하는 게 당연하지, 요?"

삼인삼색의 어른스럽지 못한 대답을 들으며 스테프는 파도에 몸을 맡겼다──.

그 모습을 멀찌감치 떨어져 바라보던 무녀가 감탄한 듯 말했다.

"호오──…… 이즈나를 스포츠로 꺾나. 진짜로 대단하데이……. 정정당당히 붙을 마음은 요맨치로도 없어 밴대도, 참말로 훌륭한──── 웃?!"

──말이 끊어졌다.

순간적으로 등 뒤에 느껴진 기척에 무녀는 재빨리 손을 자신의 가슴으로 이동──

그러나 워비스트의 상식을 뛰어넘는 반응속도로도 당해내지 못했다. 종이 한 장 차이.

　느닷없이 수영복을 빼앗겨 가슴을 가리는 것이 고작이었던 무녀가 날카로운 눈으로 '범인'을 노려보았다.

　"——이기 대체 먼 짓이고? 그짝에 해초(害鳥) 아가씨 ♪"

　손에 든 무녀의 수영복을 가지고 놀며.

　"마스터의 문헌에 따르면 '홀러덩 사고'는 이런 상황의 운명적 원칙이라 하더군요☆"

　"호오, 글나……. 그라모 당연히 그짝도 그 운명에 따라야 쓰겠네♡"

　가슴께를 가린 채—— 무녀가 스윽 무게중심을 낮추었다.

　의심할 여지도 없는 '전투태세'를 취하는 무녀. 그러나 지브릴은 깔깔 비웃었다.

　"네에, 물론 상관없지만 땅바닥에서 기어다니는 것 말고는 재주도 없는 멍멍이 주제에 저에게서 무언가를 빼앗을 수 있으리라 생각했다면—— 고쳐야 할 인식이라고 말씀드리죠♡"

　"후후 ♪ 그짝이야말로 착각하지 말그라. 땅바닥에서 기댕기는 거 말고도 재주 있그든♬"

　웃음을 지우지 않은 채.

　그러나 눈으로도 볼 수 있을 것 같은 적의가 교차하며 불꽃을 피웠다——.

　——————…………

"어머. 시로는 헤엄 못 쳐요?"

뭐든 다 할 줄 알 것만 같았던 시로에게서 의외의 사실을 발견하고 스테프가 물었다.

"……어, 스테프는…… 헤엄, 칠 수 있어?"

하지만 오히려 헤엄을 칠 수 있다는 데에 눈을 크게 뜨는 시로와——

"……굉장하다, 요."

"역시 대단하십니다, 스테파니 님. 집정에 요리에 재봉…… 거기다 헤엄까지 치실 줄 알다니. 허나 소박한 의문이온데—— 지상에서 살아가는 동물이 어째서 헤엄을 칠 필요가 있습니까?!"

"영감이 금세기 들어 가장 훌륭한 소리를 했다! 육상동물은 육상에서 생활하는 거지!!"

——누구 하나 헤엄을 칠 줄 모르는지 일동이 나란히 떠들어댔다.

스테프는 쓴웃음을 지으며 시로의 손을 잡았다.

"못 말리겠네요. 헤엄을 칠 줄 알면 당연히 더 즐겁죠. 자, 가르쳐줄게요."

"……우우웅……."

"자자, 손 잡아줄 테니까 우선 물장구부터."

내켜하지 않는 시로를 달래며 기초부터 가르쳐주고자.

시로의 손을 잡아 이끄는 스테프.

——그러나.

"우오오오오!"

"흐꺄아아아아아아아아아아악!"

느닷없이 밀려든 큰 파도에 휩쓸려 일동은 단숨에 백사장까지 밀려났다.

"……어푸…… 아우…… 빠, 빠야……."

"우오오오시로오오오!"

파도에 휩쓸려 떠내려가는 시로에게 소라가 황급히 달려가 끌어안았다.

헥헥 숨을 몰아쉬는 오빠에게 안겨 시로가 중얼거린다.

"……빠야…… 시로, 헤엄…… 배울래."

바닷물이 눈에 들어갔는지 눈물을 지으며 그런 결의를 하는 시로. 그러나 소라는.

그 파도를 '만들어낸 자들'을 향해 소리를 질렀다.

"얌마 거기이! 좀 자중──하기 전에 물리법칙부터 좀 지켜……주시면 안 될까요?"

한껏 높였던 목소리도 시선 너머에 있던 광경에 슬그머니 꼬리를 말았다.

시선 너머에 있던 것은.

아득한 원양에서 교차하는 두 마리의── 괴물이었다.

"후후, 큰 소리를 쳐놓고도 겨우 그 정도인가요? 네? 네에? ♡"

수면을 가르듯 비행하며 웃는 지브릴.

그 바로 아래, 해저에서 튀어나온 무녀가 몸을 순식간에 붉게 물들며 팔을 내민다.

—— '혈괴' 까지 사용한 무녀의 손. 그러나 종이 한 장 차이로 지브릴에게는 닿지 않았다.

하지만 그대로—— 수면을 박차며 무녀는 물 위를 뛰었다——

—— **손브라 상태로.**

무녀는 수영복 위쪽만이 아니라 이미 한텐까지 빼앗겼는지, 이제는 감추려고도 하지 않는 살의까지 풍기며 수영복을 되찾고자 지브릴을 쫓고 있었다.

"큭큭큭☆ 그짝은 다아안디 각오해야 할끼다~ 홀라당 벗기주겠어☆"

이것이 무녀. 워비스트의 전권대리—— '워비스트 최강' 의 저력인가.

바닷속을, 수면을—— 그리고 이따금 한순간이라고는 하지만 허공까지도 달린다.

이따금 바다에 잠수해 물과 바람을 뒤집어쓴 무녀의 모습은 그때마다 붉은색에서 금색으로 바뀌었으며——

"……여, 역시…… 무녀님은, 굉장하다, 요."

——이즈나마저 눈을 의심할 그 광경에 제3자가 끼어들 여지가 없음은 확실했다.

소라는 천재지변이라고 체념하고 눈을 돌리기로 했다.

"흐음…… 멋진 광경이로군요."

그리고 눈을 돌린 곳에 있던 이노의 시선을 따라가본다.

해변까지 떠내려간 일동—— 스테프와 이즈나만이 아니라.

해변까지 휩쓸었던 파도는 무녀의 시종 소녀들까지 휘말려 흠뻑 젖게 만들어——

미묘하게 수영복이 비쳐 보이는 듯한, 무어라 형언할 수 없는 광경을 자아냈던 것이다.

"호오…… 과연. 시로를 물에 빠뜨렸던 점은 용서할 수 없지만 이건 마~벨러스."

시로를 끌어안은 채 해변으로 돌아온 소라.

"허허. 눈복 터졌군요, 소라 님."

"그러게. 네놈만 없으면 완벽했을 텐데."

소라는 훈도시 한 장만 걸친 근육노인이 최대한 눈에 들어오지 않도록 애쓰며 말했다.

파도에 휩쓸려 소란을 피워대는 일동을 바라보며 스테프가 기분 좋게 웃었다.

"후후…… 그리고 보면 요즘은 너무 일만 했으니……."

쨍쨍 내리쪼이는 태양과 하얀 모래밭.

물가로 돌아가 찰박찰박 가볍게 물을 차 본다.

발에 와 부딪치는 파도와 바다에서 불어오는 바람이 노도 같던 일상을 밀어내준 것만 같아——

"……가끔은 휴가도 필요하겠죠."

감개무량하게 중얼거리는 스테프.

향긋한 바닷바람 내음에 문득, 마지막으로 편안히 놀아본 것이 언제였을까를 생각했다.

소라와 시로가 온 후로부터—— 아니, 할아버지가 돌아가시기 전부터가 아닐까.

벌써 몇 년이나 어깨에서 힘을 빼지 못했던 것만 같아—— 크게 숨을 들이마셨다.

"오기를 참 잘했네요…… ♪"

그렇게, 누구에게랄 것도 없이 동의를 구하며 중얼거린 스테프에게.

——————————————삐 삐 삐 삐 삐

"오케이 컷~! 모두 수고하셨습니다—!!"

그렇게 소라가 의욕 없는 눈으로 외친 것과 동시에.

……우르르르…… 좀비의 행진 같은 발걸음으로 모두 바다에서 올라왔다.

"……우우…… 머리, 버석버석…… 모래, 투성이……."

"하아…… 면목 없나이다, 마스터. 역시 저는 바다만큼은 도저히 좋아할 수가 없을 것 같사옵니다……. 바닷바람이 날개 사이에 얽혀서 무어라 형언할 수 없는 불쾌감을 자극하나이다."

"꼬리가 물 먹어서 무겁잖아, 요……. 짜증나, 요."

"하아~ 참말로 피곤하구마. 누가 생각한 기고. 해수욕이고 머꼬 알아먹지도 못할 이벤트."

"황송합니다, 무녀님. 이렇게 소라 님의 촌극에 휘둘리게
하여……."

연극이 끝난 직후의 배우들과도 같은 표변에 혼자──

"……에? 어, 어라?"

따라가지 못한 채 바다에 홀로 남은 스테프가 망연자실 돌
아보았다.

"──응? 뭐 하냐, 스테프? 이제 다 찍었으니까 OK야~.
올라와도 돼."

백사장의 나무에 달아놓았던 스마트폰과 태블릿 PC의 녹화
를 멈추며 소라가 말했다.

"……네? 어? 그게 무슨 소리예요?"

"──응? 어라, 혹시 스테프는 진심으로 즐겼던 거야?"

그늘로 이동해 몸을 닦기 시작하던 일동이 "엥?"하는 표정
을 짓는다.

"……아~ 미안. 그게 있지, 스테프…… 사실은 말야."

설마 알아차리지 못했을 줄은 몰랐는지, 소라가 참으로 말
하기 민망한 듯.

"……이 중에 바다를 좋아하는 사람은 하나도 없어……."

──『……응…….』하고,

크게, 깊이, 일제히 주억거리는 일동.

그중에서도 남들보다 훨씬 난감해하던 무녀가 금색 체모를 가다듬으며 말한다.

"소라 씨가 '정석 이벤트'라 캐서 어울리 봤다마는…… 내는 머가 먼지 잘 모르겠고……. 꼬리에 모래가 너무 마이 낐다…… 이기 어캐야 빠지겠노?"

"시로 님—— 지금이옵니다!"

반짝 눈을 빛낸 지브릴이 냉큼 시로에게 무언가를 건넸다.

——굿 잡. 엄지를 척 세우며 눈을 번뜩이는 시로.

"……무녀, 님……. 이 브러시, 랑…… 샴푸, 강추."

"아, 글나? 그라모 쪼매만 부탁하자."

"……폭신폭신…… 우후후……."

교묘하게 욕망을 달성할 구실을 얻은 시로가 어둡게 웃으며 무녀의 금색 꼬리에 얼굴을 묻는다.

그리고 어느샌가 같은 물건을 손에 든 소라도.

"와~ 그럼 난 이즈나를——"

그러나 이노가 앞을 가로막는다.

"이즈나는 제가 해주겠습니다. 자자, 이리 온 이즈나."

한순간 시선을 교차하며—— 꼬나보기 시작하는 두 사내.

"……영감, 네놈은 네놈 꼬랑지나 손질하는 게 어때?"

"소라 님에게 털을 손질하도록 내버려두었다간 이즈나가 더러워지지 않겠습니까. 가서 그 빈궁한 몸이나 돌보시지요?"

그러나 그런 두 사람을 내버려둔 채 이즈나는 오종종.

망설임 없이 다가가──

이노의 앞에 털썩 앉았다.

"얼른 하지 못하냐, 요."

"…………………………………………………………."

"……영감. 말도 없이 살의를 품게 만드는 그 표정연기는 혹시 워비스트의 이능이야?"

봤느냐아아아아아아……하는 목소리가 들려올 법한 이노의 표정을 본 소라의 이마에 푸른 힘줄이 솟아났다.

……쏴아아…… 파도가 스테프의 발을 두드렸다.

──이미 스테프를 기억하는 사람은 그 자리에 아무도 없는 것 같았다…….

■ ■ ■

──태양이 수평선으로 저물려 했다.

"……후후, 참 아름답네요…… 후후후……."

모래사장에 무릎을 꿇고 쪼그려 앉아 자신만의 세계로 도망쳤는지 스테프는…… 미소를 짓고 있었다.

──그때, 느닷없이 소라가 목소리를 높였다.

"──────지겹네."

그 한 마디에 전원의 시선이 소라에게 쏠렸다.

해가 저물 때까지 지겹도록 이즈나와 나무 그늘에 앉아 DSP며 장기며 틱택토 등등 무엇을 위해 바다에 왔는지 이해할 수 없는 놀이만을 하던 소라의 말에, 이즈나가 볼멘 목소리로 말했다.

"우욱, 이기고 도망치면 비겁하다, 요."

"어, 아니. 이즈나랑 하는 게임이 지겹다는 게 아니고."

그리고 일어난 소라가 근처의 궤짝에게 말을 건다.

"야, 플럼. 마중 나온다는 배는 아직 멀었어?"

""아.""

——거의 전원이, 그동안 잊어버렸던 본래의 목적에 한 목소리를 냈다.

그러자 궤짝에서 플럼이 살그머니 얼굴을 드러냈다.

하염없이 마법을 쓰고 있었는지 첫 만남을 연상케 할 정도로 피폐해진 얼굴로 플럼이 대답했다.

"우우, 그, 그러니까요오, 날짜가 바뀔 무렵이라고 했잖아요오……."

"아니, 게임기랑 태블릿 PC 배터리도 거의 다 떨어졌고, 슬슬 지겨워졌거든."

"그러니까 너무 빨리 왔다고 했잖아요요……."

우우우 지친 목소리 속에 불만을 드러내며 플럼이 중얼거렸다.

그러나 소라는 떼를 쓰듯 말했다.

"싫어. 지겨워. 지금 갈래. 아니면 집에 갈 거야."

"어린아이처럼 그러셔도오……."

어이가 없어하는 플럼을 내버려둔 채 무녀와 시로와 시선을 나누는 소라.

바다에서 나온 후로는 하염없이 그늘에서 시로에게 꼬리를 맡겼던 무녀와, 꼬리를 맡았던 시로.

──살짝 고개를 끄덕이고는, 나란히 중얼거린다.

"하긴 글체……. 인자는 쫌매 심심한 것도 사실이제."

"……응…… 시로도…… 피곤, 해……."

"네에……? 두 분까지 그런 말씀을 하시며언……."

그러나 플럼이 슬퍼하든 말든 소라는 말했다.

"지브릴."

"대령했나이다."

호령 한 번에 허공에서 나타나는 지브릴.

"위치는 확인했어?"

"예. 두 분 마스터께서 산출하신 위치가 틀림없는 줄 아뢰옵니다."

──산출?

무슨 소리인지 몰라 어리둥절하는 플럼. 그러나 소라는 태블릿 PC를 꺼냈다.

동부연합의 주변 지도를 촬영한 그 맵에는 오셴드가 허락한 얼마 안 되는 무역 등을 통해 시로가 역산한 대체적인 '도시'의 추정 위치가 나와 있었다.

그 위치가 나타내는 곳―― 수평선 저편을 보며 소라가 말했다.

"좋아, 그럼 이젠 됐겠네―― 칠러버려."

"――――분부 받들겠나이다 ♪"

소라의 말에 감출 수 없는 기쁨으로 얼굴을 환하게 물들인 지브릴이 무릎을 꿇고 복명했다.

"네? 뭐, 뭘 하시는 거예요오……?"

불안한 목소리로 묻는 플럼. 그러나 이노 또한 같은 질문을 하고 싶은 모양이었다.

이노의, 워비스트의 '감'이 경고를 울리고 있었다.

확인하라. 상황에 따라서는 말려라.

이놈들은―― 당치 않은 짓을 처치르려 한다고.

이노가 흘끔 무녀를 보았다.

무녀가 천천히 '개안타'라고 고개를 끄덕이는 것을 보고 가슴을 쓸어내린다.

그러나 이어서―― '캐도 조심해라'라며 웃는 무녀의 표정에 이노의 얼굴에서는 핏기가 빠져나갔다.

소라가 시로를 안아 들고 대수롭지도 않다는 듯 내뱉었다.

"우리가 먼저 쳐들어간다. 다들 물러나."

그렇게 말하면서 해변에서 멀어져가는 소라와 시로에게 지브릴은.

"──마스터, 정말 질러도 괘념치 않으시겠나이까?"

더는 못 기다리겠다는 듯── 그러나 한편으로는 기대를 드러내며 마지막 확인을 구한다.

"그래. 어차피 '십조맹약'의 구속력은 작용할 거 아냐?"

십조맹약 '제1조'.

──이 세계의 모든 살상, 전쟁, 약탈을 금한다.

"해칠 뜻이 있거나 무력행사라고 간주되는 행동은 맹약의 속박이 작용해서 캔슬되겠지── 반대로 말해 해칠 뜻이 없는 행동이라면 캔슬되지 않아. 그렇다면 실행이 가능한 시점에서 그건 누구의 권리도 침해하지 않는 거라고 테토느 님께서 보장했다는 뜻── 그러니까."

그렇게 말한 소라는 대담무쌍하게 웃으며 엄지를 척 세웠다.

"될 수 있는 대로 거하게 한 방 날려버려."

그 대답에 하늘의 계시를 떠받들듯 지브릴은 엄숙하게 고개를 숙이고.

그런 반면 헤실헤실 늘어지게 웃으면서 몸을 일으켰다.

"에헤, 에헤헤헤~ 이게 몇 년 만이옵니까. 으에헤헤~ 기대되옵니다아~……."

그렇게 도취된 얼굴로 중얼거린 그녀의 주변이.

──느닷없이 일그러졌다.

누가 보더라도 빛이── 아니, 공간이 뒤틀린 것처럼 비틀리며 일그러진다.

—— '십조맹약'.

무력의 행사—— 살상행위가, 절대준수의 맹약에 의해 금지된 이 세계.

그것을 충분하고도 남을 만큼 이해하는 이노조차 그 광경에는 소름이 돋았다.

"어허, 다들 물러나그라!"

냉정한, 그러나 날카로운 무녀의 일갈.

그 한마디에 자의식과는 상관없이 그 자리에 있던 워비스트들은 반사적으로 확 물러났고.

"……네? 뭐라고요?"

무녀의 고함에 그제야 현실로 돌아온 스테프는.

——문득 자기 혼자만 이상하게 바다에 가깝다는 사실을 깨달았다.

두쿵—— 가청영역 바깥의 소리로 태동하는 공간.

백사장의 모래조차 중력을 잊고 떠오르게 만들면서 더욱 일그러져간다.

뒤틀리고 일그러져가는 공간이 지브릴의 손에 모여든다.

이 자리에서 유일하게 마법—— 정령을 볼 수 있는 플럼조차 지브릴이 무엇을 하려는지 전혀 모르겠다는 눈빛으로 바라보고 있었다.

소라가 미리 들었던 정보대로라면…… 당연하다.

지브릴이 하고 있는 것은——'주위의 모든 정령을 착취하는' 행위.

　보여야 할 정령이 없으면 아무것도 볼 수 없다. 그야말로 블랙홀처럼.

　그리고——지브릴의 손 안에서 착취되었던 정령이.

　압축, 압착, 응축수축농축되어 마침내 빛을 발했다.

　정령을 눈으로 볼 수 없는 이마니티인 소라와 시로의 눈에조차 뚜렷이 보였다.

　지브릴의 오른손에 소용돌이치는 듯한 빛의 기둥이 형성되기 시작했다.

　두 사람은 마법이나 정령을 근본적으로 이해도 감지도 할 수 없다——그러나.

　지브릴의 머리 위에 빛나는 광륜은 너무나도 빠르게 회전해 이제는 그냥 빛으로 변하고 있다.

　그 사실이 알려주는 것은 단 하나——

　"……저기, 에, 자, 장난하는 거죠오! 어어어어라라?!"

　마침내 이해한 플럼이 황급히 피난하려 했지만 궤짝에서 빠져나가지 못해 비명만을 질렀다.

　그렇다. 그 광경이 나타내는 사실은 단 한 가지.

　지브릴이, 적어도 소라와 시로는 전에 본 적이 없는 규모의.

　상식을 벗어난 차원의 마법을 행사하려 한다는 것뿐.

　검이나 창이라 부르기에는 지나치게 부정형인 '그것'을.

지브릴의 오른손이 불끈 움켜쥐었다.

그리고—— 천천히 치켜들더니—— 생긋 웃는다.

"그러면 마스터."

"전력의—— '5 퍼 센 트 정 도' 로, 가겠나이다♡"

그 말이 입에서 미처 다 흘러나오기도 전에 지브릴의 오른손이 떨어졌다.

소라와 다른 사람들이 시인할 수 있었던 것은 거기까지.

멀리서 벼락이 보인 다음 천둥소리가 들리는 것과 같은 타임 랙.

몇 순간 뒤늦게 쩌렁쩌렁 울려 퍼진, 땅을 뒤흔드는 폭음에 이끌려 하늘까지 닿을 법한 파도가 솟아오르더니——

이윽고——

"흐꺄아아아아아아아아아악!"

"아아아으우우우우우아아악!"

충격의 여파에 스테프가, 플럼은 궤짝 째로 소라 일행의 발밑까지 굴러왔다.

——다음 순간 인식할 수 있었던 현상은 그뿐이었다.

"하아……♡ 힘을 쓸 수 있다는 것은 얼마나 멋진 일인지요."

시원해졌다는 양 해맑은 미소를 짓는 지브릴.

"언젠가 전력—— 100퍼센트를 낼 기회가 찾아오기를 기도할 따름이옵니다♡"

그러나 그 말에는 소라와 시로조차 식은땀을 흘렸다.

모세의 두 뺨을 후려칠 만큼 깨끗하게 바다를 가르고도 5퍼센트…….

그 말에 문득 생각했다. 지브릴이 과거 엘프에게 날렸던 전력, 다시 말해 100퍼센트였다는 '천격'.

완전하지는 않았다 해도 어느 정도는 막아냈다는——

"……엘프들은…… 필네 종족은, 역시 굉장하구만."

"……끄덕끄덕."

자신도 모르게 중얼거리며 시로는 수긍했다. 이 자리에 없는 그녀에게 경의를 표하며.

그런 내심을 아는지 모르는지 지브릴은.

"이로써 세이렌의 도시를 '시인' 하였나이다. 언제든 공간 전이가 가능하옵니다."

물리한계에 도달하는 오감을 지닌 워비스트인 이노는 물론 이즈나도, 무녀조차도 수평선 이외에는 그 무엇도 볼 수 없었다.

조금 전의 일격으로 빛을 구부러뜨린 것인지 '시인' 했다는 지브릴에게 이제 일동은 아무 말도 못했다.

——그리고 대피했던 일동을 둘러보며 소라는.

"자, 다들 가자고. 지브릴을 붙잡아."

넋이 나간 표정으로 조심조심 바닷가까지 돌아오는 무녀와 워비스트 일동.

"다 안다꼬 생각했는디…… 직접 보이 참말로, 몹쓸 농담이데이."

"……우우우…… 원래 플뤼겔하고는 얽히지 않는 편이 제일 좋아요오…….”

　망가진 궤짝에서 기어나와 플럼이 말을 이었다. 다행히 해는 이미 저문 후였다.

　그때 이노가 황급히 목소리를 높였다.

　“소라 님! 부디 무녀님께는 ‘그 소리’를 들려드리지 마십시오!”

　장거리 공간전이에 따른 공간왜곡의 소음에 겁을 먹은 듯 이노가 외쳤다.

　“아~ 그랬지. 지브릴?”

　“예, 명심하고 있나이다. 그러면—— 여러분 모두 꽉 잡으십시오…… 자자, 도라이양도 계속 드러누워 있지만 말고 어서 일어나시지요.”

　“……어, 어라? 무슨 일이 일어났던—— 뭐, 뭐예요?! 바다가 갈라졌잖아요오오오?!”

　그렇게 혼자 소리치는 스테프를 무시하고 일동이 지브릴의 주위로 모여들었다.

　“그러면 이제부터 세이렌의 도시—— 오셴드로 공간전이하겠나이다.”

　다시 지브릴의 날개가 빛을 발하고 광륜 또한 회전속도를 높였다.

　“거리는 378.23킬로미터, 하오나 슬슬 갈라진 바다가 돌아올 무렵일진대.”

　그 말에 대답하듯 바다가 굉음을 내며 닫히기 시작했다.

"따라서 오셴드에는 공기가 없었으리라 추측되오옵니다."

"아, 꽤, 괜찮아요오, 수중호흡 마법이——"

그러나 플럼의 목소리가 들리지 않았는지, 아니면 무시했는지——

"따라서—— 반경 200미터 내의 대기와 함께 공간전이하겠나이다 ♪"

"——엑?"

"물러나그라!"

다시 무녀의 목소리가 울려 퍼졌다.

그 한 마디에 이노와 이즈나를 제외한—— 해변까지 함께 따라왔던 워비스트들이 한달음에 거리를 벌렸다.

——그 순간.

공간이 터지는 극초고주파 폭음을 남기고 일동의 모습이 소실.

""꺄아아아아아아악!""

그리고 송두리째 뜯겨 날아간 공간에 대기가 돌아오며 폭발적인 저기압이 발생해.

조그만 회오리가 일어나, 남은 워비스트 소녀들은 나무에 달라붙어서 이를 견뎌내야 했지만—— 그 광경을 직접 볼 수 있었던 자는…… 없었다.

⏻ 제3장 참매 Charmer

—— '오셴드' …… 세이렌과 담피르가 공생하는 해저도시.

타국과의 교역은 거의 없으며 자급자족으로 살아가는 폐쇄국가.

바다 밑바닥에 있기 때문에 평범한 수단으로는 찾아가지 못한다.

그러나 그곳에 평범하지 않은 수단으로 찾아온 한 무리의 모습이 있었다.

지브릴이 바다를 가르고 공간전이한 곳은 오셴드 전역을 내다볼 수 있는 고지대.

심도는 약 200미터. 그런 바닷물이 밀려나가 원래대로 돌아오면——

"마, 이래 대나……."

소라의 뒤에서 신음하던 무녀의 시선 너머—— 지브릴이 만들어낸 공기의 막 건너편.

해저의 토사며 바위가 믹서에 넣고 돌린 것처럼 뽑혀나와 마구 흐트러져 있었다…….

지브릴의 마법이 아무리 폭력적이라 해도 '맹약'에 따라 무력은 행사할 수 없다.

실행할 수 있었다면 누군가에게 위해가 미치지는 않았으리라. 않았겠지만…….

"……참말로 도시에 직격하거나 남으로 안 맞은 거 맞나?"

"그, 그게, '십조맹약'은 절대적이니까. 괜찮아. 분명. 아마도."

그렇게 자신을 타이르던 소라는 조류가 잠잠해지고 토사로 탁해졌던 바닷물이 맑아지자.

"——헤에, 이거 대단한데."

"……예쁘다……."

눈 아래에 펼쳐진 도시의 위용에 소라와 시로가 각자 감상을 입에 담았다.

동화처럼 목가적일 것이라 생각했던 소라의 이미지와는 달리, 실제로 보니 그곳은 당당한 '도시'였다.

해저의 돌을 쌓아 만든 것으로 보이는 건축물이 무수히 늘어서 있었다.

진주색으로 빛나는 돌벽에는 얇게 깎은 산호나 조개껍질이 타일처럼 붙어 화려한 색채를 자아냈다. 수중 특유의 부력을 이용했는지 지상에서는 건조가 불가능할 것 같은 복잡한 아치, 역원뿔형 건물도 눈에 뜨인다—— 그리고 그때 소라는 문득.

"……응? 왜 전부 파란색이 아니지?"

해저라면 햇빛은 푸른색밖에 닿지 않을 텐데.

그 의문에 대답한 것은 시로였다.

"……빠야, 아마…… 저거."

시로가 가리킨 것은 바다를 떠도는 무수한 발광 해파리며 녹조류── 자연을 활용한 '가로등'이었다.

──아항. 도시 자체가 빛을 낸다 이거지.

"에이, 뭐야. 바보다 바보다 한 것치고는 대단한 도시잖아."

"……하하, 고맙습니다아……."

대답한 것은 체념과 자학 어린 쓴웃음을 머금은 플럼이었다.

"이거, 만든 것도 관리하는 것도 우리 담피르거든요오……. 아하하……."

……뭐라 말해야 좋을지 몰라 소라는 시선을 뒤로 돌렸다.

신기하다는 듯 주위를 둘러보는 지브릴과 이즈나와 스테프, 침착한 분위기를 보이는 무녀.

그리고──

"────소라 님. ……이게, 무슨…… 짓입니, 까……?"

역시 공간전이 때 발생하는 소리에 귀를 얻어맞았는지 꿈틀 꿈틀 경련하며 이노가 물었다.

"시킨 대로 이즈나하고 무녀님은 괜찮은 모양이네. 지브릴에게 고맙다고 하시지?"

"……마─ 상관없지마는, 내 한마디 해도 대나?"

소라와 시로, 그리고 지브릴을 순서대로 둘러보며 무녀가 깊이 한숨을 쉬었다.

"──느그 말이다, 비상식적인 짓도 작작 좀 하그라……."

"응?"

"……뭐, 가…… 문제, 라도?"

"글쎄요. 이 식육목 개과 여우속 짐승은 무엇이 불만인지."

비상식을 대표하는 세 사람이 나란히 고개를 꼬았다.

몇 안 되는 상식인 중 하나—— 스테프가 무녀를 대변하듯 목소리를 높였다.

"바, 바다를 가르다니, 누가 어떻게 생각하더라도 적의로 똘똘 뭉친 행위잖아요!! 이렇게 해놓고 어떻게 여왕님에게 안내를 받을 생각인가요?!"

"불려온 건 우리. 마중을 늦게 나온 건 저쪽. 종족의 존망이 걸린 일각을 다투는 상황에 서둘러 달려왔는데, 지브릴의 노력을 생각하면 감사와 환영의 춤으로 맞아주는 게 도리 아닐까?"

소라의 말이 순수한 거짓말임을 알 수 있는 오감을 가진 무녀와 이즈나는 기가 막혀 입을 딱 벌렸으며.

나머지 워비스트—— 이노는 여전히 귀를 붙든 채 끙끙거리고 있었다.

"……아~ 그 점은 걱정하실 거 없어요오…… 보세요오."

하지만 플럼은 손가락으로 한 곳을 가리켰다. 모두 그쪽으로 시선을 돌린다.

오셴드에서 무수한 그림자가 날아올라 서둘러 이쪽으로 다가오는 것이 보였다.

——비늘을 가진 하반신은 물고기의 지느러미였으며, 상반신은 인간형 여성의 모습이었다.

귀에 해당하는 부위에 지느러미가 달린 것 외에는 이마니티와 그리 다를 것이 없다.

가슴에는 체면치레 정도로만 천을 감은 반면 목과 팔에는 과도할 정도로 장식품을 달아놓았다.

그 모습은 그야말로 동화에서 곧바로 나온 듯한――― '인어' 였다.

"……아항, 저게 세이렌이란 말이지. 좋아좋아. 이미지랑 똑같아서 다행이야."

크툴후 계열 반어인[딥][원]이라도 나오면 제대로 빡쳐주리라 만전의 준비를 다했던 소라는 안심하고. 반면.

"보, 보세요, 저렇게 황급히 무리를 지어서……. 역시 화난 거예요."

공기의 막까지 다가온 세이렌들에게 스테프는 불안한 듯 중얼거리더니, 이윽고―――

"어, 어라……?"

눈을 동그랗게 뜨며 입을 딱 벌렸다.

세이렌들이 하늘하늘 몸을 돌려 헤엄치면서 반짝반짝 빛나는 비늘을 보인다. 매끄러운 흰 살결 위에선 현란한 산호며 진주 장식이 물결쳤다.

그 움직임에 일률적인 리듬은 느껴지지 않았다.

빛나는 해파리와 푸른 햇빛에 비춰진 형형색색의 어군과 우아하게 헤엄치는 인어들―――

그 광경은 누구나가 눈길을 빼앗길 만큼 환상적이어서―――아마도 그것은.

"⋯⋯⋯⋯빠야, 이거, 감사랑 환영의⋯⋯ 댄스."

"⋯⋯그런 것 같지⋯⋯? 거, 거봐, 스테프. 괜찮잖아?"

"그야말로 바다처럼 관대한 분들이네요⋯⋯."

이윽고 그 안에서도 가장 화려한 장식을 걸친 세이렌이 앞으로 나오더니——

무언가 파닥파닥 속을 흔들며 뻐끔뻐끔 입을 움직였다.

그 모습에 스테프가 고개를 꼬았지만 소라가 이내 그 해답을 제시했다.

"우린 지브릴이 만든 공기 속에 있고 저쪽은 물속에 있으니—— 목소리가 전해지질 않는 거지."

"그렇겠네요오⋯⋯. 제가 설명하러 가서, 겸사겸사 피를 받아올게요오. 그 힘으로 여러분께 수중호흡 마법을 걸 테니까아, 그다음에 이 공기의 벽을 해제해주세요오⋯⋯."

그렇게 말하며 플럼이 종종걸음으로 뛰어가 공기의 막을 깨고 수중으로 들어갔다.

그 뒷모습을 바라보며.

"아무리 종족의 운명이 걸린 구세주 일행이라지만⋯⋯."

"——즈그 도시 코앞에다 이딴 거를 갖다가 쳐박았구마, 이러케 환영해주나?"

지브릴과 무녀가 날카로운 눈빛으로 중얼거리는 목소리에, 소라도 엷은 웃음을 지었다.

"⋯⋯세이렌이라. 진짜 바보들인지, 아니면——."

■ ■ ■

"안녕~ 우후후☆ 여왕님 대리 아밀라라고 해~. 올~ 오케~☆"

바보네.

그런 솔직한 감상을, 소라는 간신히 입 밖으로 내지 않고 꿀꺽 삼켰다.

지브릴이 공기의 벽을 해제하자마자 다가온 세이렌.

아밀라라고 자신을 소개한 '이것'이. 본인의 말을 믿는다면 —— 가공스럽게도 진실인 것 같지만 —— 현재 세이렌을 통솔하는 사실상의 전권대리자가 틀림없다.

녹색이 감도는 풍성한 머리카락에 투명할 정도로 흰 피부. 밝은 푸른색의 커다란 눈동자.

온몸에 산호 장식을 달아놓기는 했지만 천박하지는 않다.

인어에게는 이것이 정장일 것이다. 그러나 정작 내용물은——

"멀리서 찾아와줘서 고마워~ 진~짜~ 감사하고 있다궁~☆ 아~~~앙 내 마음을 전하려면 뽀뽀밖에 방법이 없을 거 같지잉~! 우후후☆ 그치잉?!"

"……아니, 마음만 받을게요……."

이제는 반말이 어쩌고 하는 문제는 문제도 아니었다. 간신히 인류어의 범주에는 들지만 하나에서 열까지 이상하다.

흰자위를 뜨고 바라보는 소라 일행. 그러나 아밀라는 정신사납게 이리저리 헤엄치며 말을 이었다.

"이렇~게 깊은 바닷속까지 여러분 소문은 좌악 퍼졌어~☆ 이마니티를 구한 기적의 임금님이라구. 아우~ 말만 들어도 멋있는데 얼굴도 아밀라 취향이야멋있어꺄악~!! 그치잉☆"

"……아하아. 그러신가요."

여자에게 멋있다는 말을 들은 것은 처음 있는 일이다…… 그런데 어째서일까.

하나도 기쁘지 않아──.

그런 시답잖은 생각을 하며 소라는 고개를 끄덕였다.

"아하☆ 목소리도 멋있네?! 아밀라 흠뻑 젖겠어~ 그치이~ 그야 바닷속이니까~ 우후후☆"

말없이 플럼을 쳐다보니, 플럼은 조용히 돌아보며 슬픈 표정으로 고개를 가로저었다.

그런 모습에는 신경 쓰는 기색도 없이 아밀라가 생글생글 웃으며 말을 이었다.

"맞다~ 맞아~ 파티 준비를 하고 있는데우훗☆ 식사부터 할래? 아니면 나.부.터♡"

꼬물락── 몸을 뒤틀며 유혹하는 아밀라.

열 받게도 소라의 등 뒤에서 이노는 체온을 높이며 눈을 게슴츠레 뜨는 것 같았으나──

"우선 '여왕' 부터 만나게 해줘. 대접은 여왕을 깨운 다음에 받지."

그렇게 딱 잘라 말하는 소라에게 이노는 저도 모르게 귀를 의심했다.

그러나 아밀라는 딱히 개의치도 않고.

"어머나 소문대로~ 성실하네☆ 그치만 그치만 아밀라한테는 그게 더 멋진 것 같아항☆"

아밀라의 안내를 받아 소라 일행은 오셴드를 향해 고지대에서 내려갔다.

소라의 귓가에서 등 뒤의 이노가 물었다.

"……소라 님, 용케도 그 상황에서 딱 잘라 거절하셨군요."

"앙?"

"그게, 바닷속에서는 우리 워비스트의 오감에도 제한이 오므로 소라 님의 진의는 파악할 수 없습니다만…… 저토록 매력적인 여성이 다가왔는데도 주저하지 않다니, 소라 님은 혹시 상상을 초월하는 자제심을——"

그러나 소라는 눈을 흘기며 이노를 쳐다보고 내뱉듯 말했다.

"영감은 절조도 없어? 암만 동정남이라도 저딴 여자한테 뭘 느끼란 거야……. 가자, 시로."

"……응……."

아연실색하는 이노를 내버려둔 채 소라는 시로를 안고 둥실둥실 도시로 향했다——.

■ ■ ■

오셴드에 들어서자 찢어질 듯한 환성이 소라 일행을 맞아주었다.

어느 세이렌이나 환하게 웃으면서 춤을 추고 유혹하고 밝은 음악을 연주했다.

언어는—— 인류어를 말할 필요도 못 느끼는지 전혀 알아들을 수 없었지만 환영의 뜻만은 전해졌다.

그렇게 소란을 피워대는 세이렌들 사이에서 담피르로 보이는 소녀들이 이따금 보였다.

그러나 그들의 표정은 세이렌과는 달라 플럼과 대동소이했다.

가엾은…… 지친 웃음이었으며, 소라 일행에게 보내는 환영의 표정도 '멀리서 오시느라 고생하셨어요' 임을 읽을 수 있었다.

——세이렌은 안정적으로 피를 제공하고, 담피르는 여왕의 번식에 협조한다.

여왕이 잠든 동안 아무런 문제도 없었던 공생관계가 이제는 풍전등화—— 그런데도——

"야. 얘들은 멸망 직전인데 왜 이렇게 명랑해?"

그렇다—— 담피르는 그렇다 쳐도, 세이렌에게 비통함은 전혀 없었다.

"……그러니까 제가 뭐랬어요오……. 이해하지 못한다니까요오, 그걸."

지친 미소와 함께 대답하는 플럼. 지브릴이 첨언했다.

"세이렌의 어리석음은 이미 전설의 영역에 이르렀나이다. 뭇 종족의 언어에도 '바보'와 동의어로 '세이렌'을 가리키는 관용구, 심지어 동사로 삼은 사례마저 찾아볼 수 있사옵니다."

아밀라에게 안내를 받아 바닷속을 걷는 소라 일행.

——해중보행(海中步行).

헤엄을 치는 것인지 걷는 것인지 애매한 감각에 당황하는 시로를 소라가 안고 나아간다.

이노와 이즈나, 무녀는—— 역시 워비스트답다고 해야 할까. 일찌감치 이 상황에서 움직이는 기술을 체득해 유유히 점프하듯 나아간다.

지브릴은 물속에서도 여전히 '날고' 있었다.

"——아니 근데, 그런 세계 공인 바보 종족보다도 이마니티가 밑이란 말야?"

그야 이 환경에서 가장 악전고투하는 것은 분명 소라와 시로였지만.

"두 분 마스터를 뵙기 전까지는 '예'라고 대답했을 것이오나—— 이렇게 아뢰면 적절하리라 사료되옵니다. 특수한 성질을 가졌기에 서열이 하나 올라갔을 뿐, 저능함을 마스터한 종족이옵니다, 라고."

웃으며 말하는 지브릴. 플럼은 건드리면 부서질 듯 덧없는 웃음으로 그 말을 이었다.

"저 사람들은 먹고 자고 하고 노는 것 말고는 능력이 없거든 요오……. 물고기에는 머리가 좋아지는 성분이 들어 있는데 정작 물고기는 머리가 나쁘다니…… 참 이상하죠오."

——역시 이 세계에는 사이가 좋은 종족이란 없나 봐…….

소라는 자기도 모르게 먼 곳을 바라보고 말았다.

"……하긴, 사실상의 전권대리자부터 저 모양이면."

"아녜요……. 아밀라 님은 인류어를 쓸 수 있는 만큼 그나마 나은 편이에요오……."

저 모양인데 나은 편이라니—— 소라는 동정 어린 눈빛으로 플럼을 바라보았다.

그 눈빛에 그저 모든 것을 받아들인 얼굴로 웃는 플럼.

"뭐, 공생관계니까요오……. 소라 님과 시로 님께 도움을 받는다는 생각이나 방법론도—— 그 전에 여왕님의 꿈에 간섭한다는 것까지도 우리 담피르가 고안한 거라구요오……. 저 사람들은 노동이란 개념이 없고 잘하는 거라곤 기껏해야 교미 정도인걸요오. 하하…… 하아……."

"…………고생 많이 했구나, 너…….."

아밀라의 안내를 받아 오셴드에서도 가장 높은 건물로 들어 간다.

안내를 받는 동안 소라는 문득 뇌리를 가로지른 의문을 입에 담아보았다.

"교미라는 말에 생각이 났는데. 지브릴, 세이렌은 이종족 남자하고 애를 만들 수 있다고?"

"예, 그렇사옵니다."

"익시드에는, 종족의 벽을 넘어선 '혼혈'은 없는 거야?"

──소라와 시로는 이 세계에 온 지 얼마 되지 않았지만 판타지 세계에서 곧잘 등장하는, 흔히 말하는 하프엘프 같은── '혼혈'을 본 기억은 없었다.

그것도 당연하다면서 지브릴이 단언했다.

"존재하지 않사옵니다. 익시드는 외견의 유사점은 있을지언정 영혼이 완전히 다르기 때문이옵니다."

──또 영혼 얘기네.

소라와 시로가 원래 있던 세계에서는 아직 증명되지 않은 '그것'은 이 세계에서는 상식인 모양이다.

염색체 같은 것이 아닐까 하고 멋대로 수긍하며 소라가 말을 이었다.

"하지만 세이렌은 이종족하고 교배가 된다며? 그건 세이렌의 혼혈이 아닌 거야?"

"예. 태어나는 것은 어디까지나 '세이렌'이옵니다."

"두 가지 영혼을 사용했는데도?"

"담피르가 피에서 영혼을 얻듯, 세이렌은 교배로 영혼을 얻어 '변질'시켜 자신의 복제를 만드는 것이옵니다. 보통 '생물'의 번식보다도 비효율적이기에 상대는 정기를 모조리 소진하지요."

"……역시 끔찍하구만."

"그건 어떨는지요. 저도 문헌으로 본 것이 고작이오나──

'하늘에 오를 것 같은 쾌락'이라 하옵니다."

"문자 그대로 올라가버리잖아, 그거……. '일방통행'으로."

아무튼── 뭐가 어떻게 됐든.

"그런고로 혼혈── 서로 다른 종족의 성질을 물려받은 자식을 낳기란 불가능하옵니다."

흐음…….

소라는 생각에 잠겼다.

하기야 그러니까 테토도 【익시드】로 설정했겠지──.

문득, 자신을 빤히 바라보는 지브릴의 시선을 느낀 소라.

"──지브릴, 내 얼굴에 뭐 묻었냐?"

"플뤼겔은 '생물'이 아니라고 말씀드린 기억이 있나이다."

"응…… '생물'이 아니라 '생명'이라고 그랬지."

"따라서 영혼이 부정형이옵니다. 교배를 통해 영혼을 한 조각이라도 받아들이고 저의 영혼과 합성하면 정형을 가진 쪽의 아이를── 유사형태이기는 하오나 종을 넘어 상대의 아이를 생산하는 것도 이론상으로는 가능하옵니다."

"──무슨 말을 하려는지 도통 감이 안 오는데."

공손히 고개를 조아리며 광륜을 뒷머리로 이동시키고, 날개를 접은 채──

주에게만 보이는 충성의 자세로 지브릴이 손을 마주하며 기도하듯 말했다.

"내 자식을 낳아라라고 한마디만 내리신다면 불초 지브릴은 언제든 마스터의 아이를 가지——"

"……지브릴…… 셧, 업……."
시로의 날카로운 한마디에 강제로 입을 다물 수밖에 없었던 지브릴의 사정은 아랑곳 않고.
"도~~~~~~! 차아아아악!!"
그녀를 대신하듯 울려 퍼진 째지는 목소리에 소라는 고개를 들었다.
"오래 기다렸지이~! 여기가 여왕님 방이야~ ♪"
아밀라가 문에 손을 대 천천히 밀어젖히자——
——빛이 넘쳐났다.

여왕의 방은 상당히 넓었으며 핑크색 천막과 융단이 깔려 있었다.
벽에는 담담히 빛을 뿜어내는 바닷말을 규칙적인 무늬로 짜넣은 장식이 있어 방을 비춰주었다.
높은 천장은 스테인드글라스를 끼워놓아 바다 밑바닥까지 닿은 햇빛을 방에 들이고 있었다.
그러나 그 어렴풋한 햇빛도—— 그 바로 아래, 빛이 닿는 옥좌에는 필요할 것 같지 않았다.
그만큼 눈부실 정도로 존재감을 뿜어내는 거대한 수정——
아니, 그렇게 착각할 정도로 아름답고 투명한…… 얼음덩어리가 있었다.

"——————…………"

그것을 본 일동에게서 말이 사라졌다.

숙연히 —— 적어도 숙연하도록 노력하며 —— 아밀라가
말했다.

"소개드리겠습니다—— 세이렌의 여왕…… 라일라 로렐라
이 폐하이옵……다."

——얼음 속에서는 미녀가 자고 있었다.

바다처럼 물결치는 길고 푸른 머리카락이 애젊고 무명힌 얼
굴을 살짝 가려놓았다.

눈부신 황금으로 장식한 하얀 팔다리는 허벅지 아래쪽부터
요염한 비늘로 바뀌었으며.

그것은 방을 비추는 빛을 반사해 무지개색으로 빛났다.

빛과 황금에 에워싸인 '여왕'은 얼음의 관 속, 두 장의 조개
껍질로 만든 옥좌에서 조용히 눈을 감고 있었다.

할 말을 잃은 일동의 뒤에서 플럼이 아밀라와 이야기를 나
누었다.

"아, 아밀라 님……. 여왕님을 깨워드리는 것 말인데요
오…… 소라 님 일행은 여기 계신 전원이 게임에 도전하고 싶
다고 하시거든요오……. 그래도 괜찮을까요오?"

아밀라는 플럼의 말에 잠시 난감한 표정을 지었지만 금방
대답했다.

"에~ 문제는 없지만~☆ 플럼은 괜찮겠어~?"

"네에……. 그, 그래서요오, 술식편찬을 도와줄 사람이 서른 명 정도 필요해요오."

호옹호옹 고개를 끄덕이는 아밀라.

"오케~☆ 그럼 여왕님 깨울 준비를 할게~☆ 다 같이 마법 쓸 거면 피도 필요하겠네~ 우후후☆ 아밀라가 애들 모아올 테니까 플럼도 부탁해~☆"

"네에…… 그, 그러며언, 여왕님의 꿈에 들어갈 술식을 준비해 오겠습니다아……."

꾸벅 인사를 하며 아밀라와 플럼이 나란히 방을 나갔다.

──하지만 그 사실도 알아차리지 못한 듯.

일동은 그저 여왕이 잠든 얼음만 바라보고 있었다.

"저, 정말 아름다운 분이네요……."

스테프가 같은 여성이란 것도 잊은 듯 촉촉한 목소리로 말했다.

실제로 그 농염한 모습에는 이노는 물론 지브릴이나 무녀, 이즈나마저도.

그저 멍하니 눈길을 빼앗기고 있을 뿐이었다── 그러나.

"응─……? 그런 소릴 할 정도로 미인이냐, 시로?"

"……잘…… 모르, 겠어……."

""에에에엥──?!""

고개를 갸웃거리며 중얼거리는 소라와 시로 두 사람에게 일동이 눈을 크게 떴다.

"두, 두 분 모두 제정신인가요?! 이, 이분이 미인이 아니면 뭐라는 말씀인가요?!"

"……너야말로 좀 진정해. 소란 떨 것도 아니잖아."

스테프의 노기등등한 태도에 귀찮다는 듯 눈살을 찡그리며 소라가 말했다.

다시금 여왕에게 시선을 돌렸다.

──라일라 로렐라이. 얼음 관에서 잠든 인어공주.

그 모습은, 그렇다, 확실히 아름답다고 할 수 있다.

하지만.

소라는 명확히 단언할 수 있다── '다르다' 라고.

예를 들자면 그것은 예술품도 잠재울 만큼 폭력적인 지브릴의 아름다움과는 다르다.

무녀가 달빛 아래에서 보여준 신성할 정도로 요염한 미모와도 다르다.

이즈나처럼 무구한 귀여움이 있는 것도 아니며 하물며──

"……? 빠야……?"

곁에 있는── 고개를 갸웃하는 여동생을 보고 소라가 고개를 주억거리며 단언했다.

"──비교할 가치도 없군. 아니 뭐랄까, 저 정도면 차라리 스테프가 낫지 않아?"

"욱…… 그, 그렇게 속 보이는 빈말, 하나도 안 기쁘거든요?!"

"아니아니, 내가 지금 너한테 아부를 해봤자 무슨 이득이 있다고……."

어이가 없다는 반응을 보이는 소라의 뒤에서, 어깨를 조용히 두드리는 이노.

"소라 님……………. 아니, 됐습니다. 괜찮습니다."

그러고는 다정한 목소리로 말을 잇는다.

"고민할 필요는 없습니다── 불능은 치료되니까요. 다음 번에 제가 자라탕을 잘하는 집을 소개──"

"절대 아니거든?! 이 무슨 불명예!! 아니 그보다!"

빽 소리를 지른 소라는 얼음을 삿대질하며 외쳤다.

"다들 좀 냉정해지라고!! 그야 못생겼다고는 안 하겠지만, 무녀님이나 지브릴이나 이즈나에 시로까지 다 있는 상황에 소란을 떨 정도야? 이쪽에는 말 그대로 오버스펙 미녀들이 세트로 있는데?!"

여전히 가엾다는 눈길로 쳐다보는 스테프와 이노── 그러나.

소라의 말에 지브릴과 무녀만은 제정신을 차렸다.

"과, 과연 마스터……! 저것이야말로 조금 전에 말씀드렸던 세이렌의 '특성'이옵니다."

"──앙?"

무녀와 지브릴은 얼음에서 시선을 떼고, 지브릴이 다시 말을 이었다.

"뛰어난 육체도 마법도 없는 세이렌이 그나마 살아남을 수

있었던 가장 큰 이유이자 유일한 무기, 그것이 바로 저것이옵
니다…… 말인즉슨──."

잠시 간격을 두고.

"바다에 있는 한── '모든 것을 끌어당기는 매력' 이옵니다."

"세이렌은 바다에 사랑받은 종족── 그녀들이 바다에 살
며 바다를 떠날 수 없는 이유는 체내에 수많은 정령…… '수
정(水精)'을 보유하기 때문이오며, 그것이 모든 정령을 '끌어
당기는' 것이옵니다."

"……, 아……."

"아~ 그런 거구나."

과연. 소라와 시로는 겨우 이해했다는 듯 고개를 끄덕였다.

'십조맹약' 이전에는 다른 종족의 남자를 잡아먹어 번식했
다는 세이렌.

뛰어난 힘도 마법도 없이, 바다에서 나오지도 못하면서 어
떻게 살아남았는가.

정답은 곧── '매료' 시켜 유혹하면 되는 것이다.

물고기 떼를 이끌고 헤엄치던 것도, 마법 없이 심해의 수압
을 견뎌내던 것도 수긍이 간다.

"그건 일종의 매료마법인 거지?"

"예. 단순한 정령의 흐름── 정령에 작용하는 자력 같은
것이옵니다. 단순한 종족특성인지라…… 원래는 별로 신경
쓸 필요도 없는 정도이오나──."

그렇게 말하며 흘끔 여왕에게 시선을 돌렸다가 다시 눈을 피하며.

"저 인간생선은—— 보유한 정령의 양이 그야말로 '격이 다른' 듯하옵니다."

그 영향에서 벗어날 수 없다는 점이 불쾌한지 지브릴이 중얼거렸다.

무녀도 알고는 있었다는 듯 머리를 긁으며 설레설레 도리질을 쳤다.

"하온데…… 어찌 두 분 마스터께는 통하지 않는지……."

"……음……? 지브릴, 시로랑 빠야, 정령…… 없다, 고, 그랬어."

"맞아맞아. 이 세계의 모든 생물은 몸속에 정령이 있는데, 나하고 시로에겐 없다고 전에 그랬지."

지브릴을 처음 만났을 때, 다른 세계 출신임을 증명하기 위해 체내정령을 확인케 했던 것이다.

정령에 작용하는 자력이라면 소라와 시로에게 통하지 않는 것도 당연하다—— 그러나.

"아닙니다. 영혼이 있다면 반드시 정령이 있어야 하옵니다. 단순히 제가 모르거나 혹은 검출할 수 없는 정령일 뿐——. 하오나 그래서는 영향을 받지 않는 이유는 도통—— 흐으음?"

중얼중얼, 흥미의 대상이 소라와 시로로 돌아왔는지.

반짝거리는 눈으로 두 사람을 바라보는 지브릴.

——하지만 이노가 불쑥 중얼거린다.

"그저 소라 님이 남자로서 거시기한 것은 아니외까?"

"닥치랬지 영감! 넌 그냥 하반신에 충실한 거잖아! 난 살아 있는 이성이라고!"

"오래 기다렸지이이이이잉~~~!"

──그때. 소란을 떨며 아밀라가 플럼과 함께 돌아왔다.

여왕의 꿈에 들어갈 술식인지 뭔지의 준비가 끝났는지, 곧장 여왕이 잠든 얼음으로 다가서는 두 사람.

"그럼 지금부터 플럼이랑 다른 애들의 마법으로, 여왕님의 꿈에 들어가게 해 줄게에."

그리고 얼빠진 웃음을 지우지 않은 채.

아밀라가── 태연하게 말했다.

"여왕님을 깨울 사람은~【맹약에 맹세코】모든 것을 걸고 수정을 만져줘~."

────…………

"네? 지, 지금 뭐라고 그러셨나요?"

침묵을 깨뜨리고 외친 것은 스테프였다.

그러나 아밀라는 어리둥절한 표정으로 말했다.

"어~? 뭐 문제 있어~?"

"문제가 있고말고요. 무슨 소리를 하는 건가요?!"

……모든 것을 걸어?

다시 말해 그 사람의 재산, 신분, 인권, 목숨―― 말 그대로 모든 것을 걸라고?

　"어째서 그래야 하지요?! 우리는 도와달라는 부탁을 받고 왔는데?!"

　"에~? 플럼, 설명도 안 하고 데려왔던 거야아?"

　"우우…… 죄, 죄송합니다아……."

　난처한 표정으로 뺨에 손을 가져다대는 아밀라. 그저 굽실굽실 사과하는 플럼.

　그러나 그 대화를 가로막듯――

　"진정해, 스테프. 착각하고 있는 건 너야."

　냉정하게, 담담하게 말한 것은 소라였다.

　너무나도 냉정한 모습에 스테프는 돌아서서 일동을 둘러보았다.

　소라도 시로도―― 무녀며 지브릴, 이노에 이르기까지 당연하다는 표정이었다.

　"우리가 부탁받은 건―― '여왕의 게임'을 클리어해 깨우라는 얘기잖아. '십조맹약' 제3조, 게임은 상호가 대등하다고 판단한 것을 걸고 치른다―― 여왕이 【맹약에 맹세코】 잠에 들었고, 자신을 반하게 해 보라는 '게임'을 설정했다면, 여왕의 사랑을 대가로 설정한 '판돈'이 있는 게 당연하다는 뜻이잖아?"

　"응응, 역시~ 얼굴만 멋있는 게 아니고 머리도 멋있어!"

　꺄하하 웃으며 고개를 끄덕이는 아밀라―― 그러나.

슬며시, 무녀와 시로만이 엷은 웃음을 띠었다는 사실은 소라만이 알고 있었다.

 그러나 알아차리지 못한 스테프는 아직도 수긍할 수 없는지.

 "그, 그건 이상해요── 왜냐면! 위험에 처한 건 저쪽이고, 우린 도와주러 온 건데, 왜 그런 위험을!"

 그러나 소라는 변함없이 태평하게 대꾸했다.

 "플럼은, 감정이나 꿈에 간섭하는 건 원래는 '십조맹약' 때문에 불가능하지만, 여왕의 사전승낙 덕에 가능하다고 그랬지── 하지만 사전승낙이 된 건 어디까지나 게임 속뿐이야."

 ──다시 말해.

 "우선 '여왕의 게임'을 시작하지 않고선 일련의 술식도 사용할 수 없고, 당연히 여왕은 깨어나지 않아. 그리고 여왕이 자신과의 게임 권한으로 요구한 '판돈'이──"

 그리고 플럼과 아밀라를 보며 소라는 익살을 떨듯 말했다.

 " '내 사랑을 원한다면 모든 것을 버릴 각오를 보여줘!' ……뭐 그런 거겠지?"

 입을 딱 벌린 스테프와, 십인십색으로 질렸다는 표정을 짓는 일동.

 오로지 아밀라만이 과도하게 소라를 칭찬해댔다.

 "완~~전~~정~~답! 아앙~ 여왕님이 아니라 내가 가져가면 안 될까냥~!"

그렇게 소란을 떨어대는 아밀라는 내버려둔 채 말을 잇는 소라.

 "뭐, 여왕이 확실하게 반하도록 만드는 마법이 있다니까 문제는 없겠지."

 "네, 네에엣! 그건 보증할 수 있어요오! 저한테만 맡겨주세요오!"

 "그, 그런 건── 그치만 만에 하나 마법이 불발로 그쳤다간 어떻게 되나요오?!"

 여전히 위화감을 씻지 못하는 스테프. 그러나.

 "그건 아밀라에게 맡겨주시라~."

 아밀라가 딱 잘라 말했다.

 "게임은 할 수 있지만 도전을 받는 여왕님은 잠들었으니까, 그분의 소유물을 관리하는 건 나 아밀라! 불발로 그쳐도 내가 그대로 돌려주면 노 리스크♪"

 "아니, 그런 구두약속 정도로──."

 그러나 이번에도 가로막으며 소라가 말했다.

 "그래, 문제없고말고. ──그럼 게임을 시작할까."

 ──이상하다.

 스테프는 속으로 생각했다.

 무언가가 이상하다. 애초에 이렇게 위험성이 큰 조건을 왜 이제 와서 느닷없이 이야기한단 말인가.

 왜 그 사실을 의문으로 여기지 않는단 말인가.

 스테프는 소라를 바라보았다.

평소의 소라답지 않았다. 이렇게 수상쩍은 게임을 받아들이다니——.

그러나 스테프가 다시 주위를 둘러보았다.

자신 이외에 그 자리에 있던 모두가 아무런 의문도 품지 않는 기색에 입을 다물었다.

'뭐, 뭐지, 대체……? 뭐가 어떻게 된 거예요?'

"그러면……."

플럼이 규칙을 설명했다.

"여러분은 모든 것을 걸겠다고 '맹약에 맹세코' 얼음을 건드려 주세요오……. 그다음엔 저랑, 아래층에 있는 담피르들이 술식을 펼쳐서, 마법으로 여러분을 여왕님의 꿈속에 안내할 거예요오……. '반하는 마법'을 쓰는 사정상 저도 동반할 거고요오……."

침착하게 술식을 짜나가던 플럼이 설명하며 말했다.

"꿈이니까 시추에이션은 자유고오…… 대표자는—— 소라 님이시겠죠오? 소라 님의 이미지를 반영시켜서, 여왕님의 꿈속 시추에이션을 구축하겠어요오……. 어떤 시추에이션이라 해도—— 승리조건은 단 하나예요오."

그렇게 이어진 플럼의 말을 소라가 받았다.

"누군가가 여왕을 반하게 만들어서 깨우면 '승리', 차이면 '패배'—— 패자는 게임에서 빠져나오고, 걸었던 '모든 것'을 지불한다—— 이상을 맹약에 맹세하면 된다 이거지?"

"네, 네에……. 하, 하지만."

"알아 알아."

다시 소라가 말을 끊었다.

"플럼의 반하는 마법이 있고, 설령 지더라도 아밀라가 돌려 줄 거다── 맞지? 안심하라고."

당당하게── 그러나.

스테프에게는 무언가 찜찜한 구석이 엿보이는 웃음을 지으며 소라가 말했다.

"이 멤버와 이 조건으로 지는 일은 만에 하나라도 없다. 냉큼 시작해줘."

"네, 네엣──. 그러면 소라 님, 시추에이션을 머릿속에 떠올려 주세요오. 그리고──"

그 말에 소라는 이미지를 그렸다.

연애 게임이라고 하면 그야말로 이것뿐이리라 하는 게임을.

"선언을, 부탁드립니다아!"

『──【맹약에 맹세코】!!』

소라, 시로, 스테프, 지브릴, 무녀, 이노, 이즈나, 그리고 플럼까지.

일제히, 모두가 그렇게 외친 것과 동시에 의식이 새하얗게 물들었다.

──그리고 새하얀 시야는 금세 푸르게 뒤바뀌었다.

꿈에서 깬 것처럼 뿌연 의식이 떠올랐다.

이완된 몸의 곳곳에 피가 통하고, 감각이 돌아오고── 그
리고.

"어버버버버버헤벅?!"

……물에 빠졌다.

대해원 한복판에서 소라와 시로, 이즈나, 이노, 무녀까지도
파도에 휩쓸리고 있었다.

목이 타는 듯한 소금맛. 콧속을 찡하니 뚫고 지나가는 아픔.

냉정한 생각이 저 멀리 날아가버리는 가운데── 일동의 머
릿속에는 다른 영상이 흐르고 있었다.

『──시작이 있으면 끝도 있듯……』

샤방샤방 쓸데없이 반짝이는 이펙트. 별가루를 뿌리는 듯한
효과음.

어딘가 국어책을 낭독하는 듯한 내레이션이 담담히 뒤를 이
었다.

『만남이 있으면 또한 작별도──』

"지금 느긋하게 오프닝 무비 틀어놓을 때야?!"

바다에서 필사적으로 고개를 내밀며 소라는 고함을 질렀다.

"어느 세상에 물에 빠지면서 시작하는 '두근두근 메ㅇ리얼'이 있냐고! 퍽이나 두근두근하겠다!"

아니, 그야 물론 심장은 요란하게 뛰어대고 있지만, 생명의 위기에 직면한 맥동을 '두근두근'이라고 형용하고 싶지는 않았다.

"아, 죄, 죄송합니다아······. 소라 님의 이미지랑 여왕님의 이미지를 혼합해서 무대 시추에이션을 구축하는 데 조금 애를 먹어서요······. 조금만 시간을······."

생각해 보면 당연한 이야기였다. 여왕의 꿈에 간섭할 수는 있어도, 이 세계에 소라네 세계의 '학원물'이 존재하겠는가.

당연히 소라의 이미지와 여왕의 지식을 합쳐 절충시킬 필요가 있다── 있지만.

"······빠야······ 멋진꼴깍꼴깍, 인생······이었어······."

"플러엄~! 우리 여동생이 일찌감치 생을 체념하려고 하니까 빨리 좀~!"

환한 미소와 함께 눈을 감는 시로를 부여안고 소라가 절규했다.

"──아, 으, 술식 구축 완료, 시추에이션 구성, 반영하겠습니다아!"

──순간.

바다에 빠졌던 그 '시추에이션'이 책의 페이지를 넘기듯 뒤바뀌었다.

해상에서 해저로——'무대'가 바뀌고. 호흡이라는 쓸데없는 '설정'은 소실.

트럼프 패를 한 장씩 넘기듯, 하나씩.

꿈의 세계에는 게임운영에 가장 적합한 변경이 차곡차곡 더해져, '편의주의'가 적용되었다.

"——마스터, 무사하시옵니까?!"

지브릴의 큰 목소리에 소라는 정신을 차렸다—— 어느새 발밑에 지면이 있었다.

"……어, 응…… 위험했다……."

푸르고 투명한 바닷속에서 소라는 '한숨'을 쉬고 '이마의 땀'을 닦았다.

물에 빠져 죽을 뻔했던 공포에 떠는 시로를 꼭 끌어안고 신음하듯 중얼거렸다.

"게임 스타트 직후에 데드 엔딩이라니, 그딴 특수한 시나리오는 다른 데 좀 알아보시지."

"……역시, 바다…… 싫어……."

"두 분 마스터를 위기에 빠뜨렸던 '바다'—— 통째로 배제할 필요가 있겠나이다."

"그냥 평범하게 헤엄 연습을 하면 되잖아요……."

이제까지 유일하게 태연했던 것으로 보이는 스테프가 한숨을 쉬며 중얼거렸다.

그러나 무녀를 비롯한 워비스트 일동은 짜증을 내며—— 지브릴의 말에 동의했다.

"내 말이 그 말이다. 바다가 대체 머꼬. 누가 이딴 고약한 물구덩이를 만들었노?"

"웬일로 지브릴 님께 동의하게 되는군요. 바다 따위 싹 말려버려야 합니다."

"바다, 비린내 난다, 요……. 물고기만 남겨놓고 없어져버려, 요."

꿈속에 투입이 끝난 일동은 입을 모아 푸념을 늘어놓으며 태연함을 되찾아갔다.

──소라, 시로, 스테프, 지브릴, 무녀, 이노, 그리고 이즈나.

저마다 땅에 발을 댄 그들의 눈앞에서 '시추에이션'이 구축되었다.

해저임에도 푸른 하늘이 펼쳐지고, 빛이 일렁이는 해면에는 구름이 떠다닌다.

기복이 심하던 지형이 정리되고 바위와 산호투성이였던 해저에는 '학교'가 나타난다.

주위를 회유하던 열대어들은 이름 없는 일반학생으로── 바뀌어간다.

거의 눈 깜짝할 사이에 '해저학교'라는 가공의 무대가 재구축되었다.

오셴드 풍 건축양식으로 지어진 '고등학교'──.

그런 기묘한 풍경을 바라보는 소라의 곁에서.

"여왕님께서 '학교'를 아신다는 게 가장 놀랐어요오……. 책에서 읽으신 걸까요오."

일동과 마찬가지로 게임 속에 투입된 플럼이 중얼거렸다.

소라가 쳐다보자 그 시선이 뜻하는 바를 깨달은 플럼은 지친 미소에 쓴웃음을 섞어 말했다.

"하하…… 오셴드에 학교 같은 건 없거든요오……. 그 사람들이 뭘 배우겠어요오."

경치가 다 바뀌자 이번에는 소라 일행에게 잇달아 변화가 더해지기 시작했다.

우선── 시야에 무수한 아이콘이 깜빡이며 떠오른다.

"……? 뭔가요, 이건."

스테프는 시야에 비친 그것을 건드리려 했지만 닿지 않았다. 소라가 설명했다.

"UI(유저 인터페이스)…… '커맨드 선택화면' 이다."

──그것은 연애 시뮬레이션 게임의 스테이터스 화면 그 자체였다.

소라가 이미지한 대로 '두근두근 메ㅇ리얼' 을 연상케 하는 화면. 그러나 소라는.

"……이 정도까지 반영할 수 있으면 바다에는 좀 빠뜨리지 말지?"

"이건 플레이어에게만 반영되는 거라 쉬워요오……. 시추에이션을 구축할 때 소라 님의 이미지를 여왕님의 기억이랑 절충시키느라 고생했을 뿐이고…… 근데…….”

문득 의아하다는 듯 플럼이 말했다.

“소라 님의 이미지는, 어디의 지식인가요오? 이런 건 본 적이 없어요오.”

소라 일행이 이세계 출신임을 모르는 플럼은 그 이미지의 출처를 궁금해했지만—— 무시.

“잠깐, 플레이어에게만 반영되는 건 변경하기 쉽다고?”

“아, 네에. 아직 술식을 구축하는 중이거든요오……. 소라 님이 이미지해주신다면…… 다만.”

플럼이 덧붙였다.

“모습이나 나이, 성별은 바꿀 수 없으니까아…… 주의해주세요오…….”

——여왕님은 어디까지나 ‘왕자님’이 나타나기를 바라며 잠이 들었다.

자신을 반하게 만들어 깨웠던 상대를 막상 보았더니 조명발 화장발 포샵발 수준의 다른 인물이라면—— 도로 잠들지 않겠는가.

그건 좋다. 그보다도——

“이름을 바꿀 수 있다면 내 이름은 ‘＊코○미맨’으로 해줘.”

＊코○미맨: 코나미맨(こなみまん). 코나미의 연애 시뮬레이션 게임 ‘두근두근 메모리얼’의 공식 비기. 주인공의 별명을 ‘코나미맨’으로 입력하고 시작하면 모든 초기능력치가 573인 상태로 시작할 수 있다. 참고로 573은 일본어로 ‘고나미’라 읽을 수 있다.

"……빠야, 능력…… 573 시작은, 치트……."

눈을 흘겨뜨며 지적하는 여동생. 그러나 소라는 당당하게 웃으며 쯧쯧 손가락을 내젓는다.

"공식 비기는 게임 규정에서 벗어나지 않는 거야. *게다가 그건 뭐만 하면 금방 노이로제니까 1년차는 휴식으로만 보내서 이벤트는 죄다 놓치는…… 디메리트도 확실하게 있는 걸?"

"……그럼, 시로, 는…… '*세○포누메'로, 할래……."

"……저기, 그거 무슨 의미가 있나요오……?"

그런 대화를 나누던 가운데— 이번에는 소라의 이미지가 반영되어 소라 일행의 모습이 바뀌어갔다.

소라는 평소 입는 『I ♡ 인류』 셔츠 위에 블레이저만 걸친 모습으로.

"……흐음. 조금 답답한 옷이로군요."

마찬가지로 남학생 교복을 걸친— 98세 근골 우락부락 영감이 곁에서 중얼거린다.

"……근육으로 부풀어 바디라인이 드러난 교복이라니…… 악몽에 나올 것 같아."

그렇게 중얼거린 소라는 시선을 지옥에서 천국으로— 다시 말해 여성진 쪽으로 돌렸다.

---

* 게다가~노이로제 : 위의 비기를 사용하면 '스트레스' 수치도 5730이 되어 '노이로제'라는 배드 스테이터스에 걸리기 쉽다. 노이로제 상태에서는 학습 관련 능력치가 절반으로 떨어지는 등 부작용이 크다.
* 세○포누메 : 세모포누메. 라이트노벨 '나는 친구가 적다'의 등장인물 카시와자키 세나가 '두근두근 메모리얼'의 패러디 게임인 '반짝이는 스쿨라이프'에서 사용(당)했던 주인공 이름. 이후 그녀의 '고기'와 함께 별명 중 하나가 된다.

곁에 선 시로는 여느 때와 같은 까만색 일색이 아니라——
색깔도 화사한 여자 교복.

——여왕의 이미지가 섞였는지 소라의 이미지보다도 약간
노출도가 높은 세일러복이었다.

그리고 그 주위에는 마찬가지로 세일러복을 입은 이즈나,
지브릴, 그리고 무녀가——

"……무녀님의 세일러복 차림이라. 멋들어지게 좋지만……."

"머, 불만이가?"

긴 금색 머리카락을 틀어올렸으며 시로와 마찬가지로 화사
한 세일러복을 입은 무녀가 말했다.

두 개의 꼬리가 흔들리며 치켜올린 스커트에서 엿보이는 다
리가 참으로 눈부시다—— 그러나.

"……무녀님, 그리고 보니 몇 살?"

"여자한테 나이 묻는 거는 실례라꼬 안 배았나?"

"그러게……. 그런데 동부연합을 만든 건 무녀님이지?"

흠칫. 무녀가 반응했다.

"철이 들었을 때부터라고도 그랬지. 이즈나는 여덟 살, 철
이 들었고. 반세기 동안 급성장한 동부연합—— 동부연합의
완성까지 걸린 시간을 환산하지 않더라도 최소 58세——"

"내 좋은 거 가리키주까, 이마니티? 워비스트는, 특히 '혈
괴' 개체는 노화가 늦데이."

소라의 적확한 추리를 가로막으며 눈부신 미소와 함께 무녀
가 말했다.

──그리고 험악한 미소를 지으며, 달콤한 목소리로.

"'할무이' 라고 불렀다간── 니 어케 될지 알제♡"

그러나 소라는.

"──홋…… 나야말로 무녀님에게 좋은 걸 가르쳐주지."

이를 정면으로 받아내며 말했다.

"외모가 전부! 무녀님은 몸짓과 말투 탓에 연상으로 느껴지지만 외모는 기껏해야 20세 미녀── 그렇다면 실제 연령 따위 장식에 불과하다! 이마니티의 상식이지."

"……소라의 상식이겠죠."

그렇게 중얼거리는 스테프의 목소리를 화려하게 무시하고 소라는 곁을 가리켰다.

"심지어 여기 '오버 6천 살' 도 있으니 신경 쓸 거 없잖아?"

"아, 마스터. 저는 정확하게는 '6,407세' 이옵니다."

신기한 듯 자신의 옷을 바라보던 지브릴이 웃으며 대답했다. 이쪽은 허리의 날개 때문에 윗도리가 치켜올라가 배꼽이 언뜻 보이고 이것 또한 이하생략.

그리고 한편으로는──

"……그런데 한 가지 물어봐도 될까요?"

"응── 뭔데, 스테프."

"왜 저만, 소라랑 이노 씨랑 똑같은── 남성복이죠?"

──그렇다.

시로에, 지브릴에, 무녀에, 이즈나.

모두가 여자용 세일러복인데, 스테프만은—— 소라나 이노와 같은 블레이저였다.

깊이 고개를 끄덕이며 소라가 그 심려원모를 밝혔다.

"좋은 질문이다—— '장수를 잡으려면 말부터 쏘아야 한다'는 거지."

"……네?"

진지한 얼굴로 말하는 소라를 모두가 주목했다.

"——우선 모두에게 남장을 시키지 않았던 이유는 '두 가지'."

손가락을 세우며 말하는 소라.

"첫째, 메인히로인을 공략할 때는 그녀의 친구—— 여성의 협조가 필요하기 때문이다."

"……은근슬쩍 추잡한 소리를 하는구마……."

어이없어하는 일동을 대표해 무녀가 감상을 말했다.

그러나 무시하고, 소라는 두 번째 손가락을 세우며 말을 이었다.

"그리고 둘째는—— 애초에 여왕이 '남자에겐 관심이 없었다'는 함정이 있을지도 모르니까."

"……여왕은 생식능력이 있는 남성을 원한다고 했는데요오……?"

"무조건 믿을 만한 근거는 없지."

똑같이 어이없어하는 플럼에게 딱 잘라 단언하며 말을 잇는 소라.

"다음으로 스테프를 남장시킨 이유인데—— 스테프는 커뮤니케이션 능력이 높아 정보통이 될 수 있다."

단순히 정치력으로 따진다면 무녀도 후보에 넣을 수 있겠지만.

소라는 교우관계 능력은 스테프가 높으리라 직감했다.

"*요시오 군 같은 정보력, 교우관계 능력이 있는 남자친구가 아군에 필요했——던 건데……."

그리고 소라는 스테프를 돌아보며 깊은 한숨을 쉬었다.

"……굳이 비교하자면…… *이주인이 돼버렸네……."

"——네? 무슨 말씀인지 모르겠는데요……."

——빨간머리에, 단아한 얼굴.

척 보기에도 상류계급에 미목수려한 청년인—— 남장한 스테프가 고개를 갸웃한다.

아니꼽지 않고, 자신의 용모에 자각이 없을 법한, 그러나 문무겸비에 가정적인 면까지 가졌을 것 같은.

사교성 있고 행동력도 있고 아울러—— 강한 의지까지 담긴 푸른 눈동자.

그러나 내면에서는 깊은 다정함과 인내심까지 엿보이는—— 그런 멋진 청년이.

——솔직히 말하자면.

---

* 요시오 군: 사이토메 요시오. '두근두근 메모리얼'의 등장 캐릭터. 주인공의 친구이며 정보통. 여성 캐릭터의 정보를 가르쳐주는 역할을 맡는다.
* 이주인: 이주인 레이. '두근두근 메모리얼'의 등장 캐릭터. 처음에는 주인공의 라이벌격인 부잣집 도련님에 미소년으로 나오지만, 사실은 숨겨진 여성 캐릭터. 공략도 가능하다.

소라가 자신도 모르게 후려치고 싶어지는 비인기남의 적——
—— 리얼충 미남의 얼굴에 다시 한 번 한숨을 쉬었다.

"……이주인? 그게 누구인가요?"

"……옛날이야기……. 신경, 쓰지 마……."

"이거 차라리 영감이 아니라 스테프더러 꼬시라고 하는 게
빠르지 않을까?"

"네? 아뇨, 전 여성을 유혹할 수는—— 게다가, 전…… 소,
소라가——"

"……아, 술식 구축이 완료된 모양이에요오."

■ ■ ■

"어흠. 그럼 다시 한 번 오프닝—— 그리고 여왕님의 의식
을 투입시키겠습니다아."

플럼의 선언과 함께 허공에 거대한 스크린이 투영되었다.

아까 머릿속을 지나갔던 망게임 PV가 경쾌한 BGM과 함께
흘러나왔다.

내레이션과 함께 학교 건물이며 교실의 핀업이 비친 후 장
면은 안뜰로 이동해, 방사형으로 무수히 가지를 뻗은 거대한
심홍색 산호를 로우 앵글로 비추는 카메라.

내레이션이 담담하게 해설을 시작했다.

『해립(海立) 카가야키 고등학교…… 이곳에는 전설의 산호 아래에서 고백을 하면 '진실한 사랑'이──』

어디선가 들어본 것 같은 문구에 소라는 눈을 흘겨뜨며 신음했다.

"……야. 전설의 나무라면 몰라도 전설의 산호란 건 대체 뭐야……?"

고목 밑에서 고백이라면 그나마 이해가 간다.

종소리가 들리는 가운데 벚꽃이 흩날리는 언덕도, 뭐 괜찮다고 치자.

하지만 아무리 그래도 '전설의 산호 아래'는 아니잖나.

"그렇게 말씀하셔도오…… 바닷속에 나무는 없으니까요오……."

──게다가 산호란 건 가까이 다가가서 보면 상당히 징그럽단 말이다.

소라는 그렇게 생각했지만 그런 내심과는 상관없이 오프닝이 이어졌다.

──잠시 후.

지루한 내레이션이 끝나자 이번에는 명랑한 분위기의 음악이 흘러나왔다.

핑크색 배경에 '전설의 산호' 밑에서, 긴 푸른 머리가 물결 속에 너울너울 흔들리는 인어가 나타났다.

──여왕이다.

교복 차림의 여왕—— 라일라가 조용히 춤추듯 거대한 붉은
산호 밑을 헤엄친다.

풍만한 몸을 감싼 화사한 교복은 바닷물에 너울거려 여왕의
매력을 한층 돋보이게 해주었다. 짧은 스커트에서 뻗어나온
비늘 덮인 꼬리가 물을 치는 모습조차 요염하게 느껴졌다.

여왕은 어딘가 근심 어린 눈빛으로 무언가에 이끌리듯 허공
에 손을 뻗더니——

"La————————♪"

노래했다.

——그 목소리를 들은 자들 모두가 일제히 숨을 멈추었다.

"어머나……!"

"호오, 이거이거…… 과연 미인은 노래까지 다르군요."

스테프와 이노가 감탄사를 냈다.

모습을 보이기만 해도 모든 자를 매료시키는 여왕.

그녀의 노랫소리는 듣는 이의 영혼을 마약과도 같은 쾌감으
로 마비시키는 미성이었다.

……소라와 시로를 제외하면.

소라와 시로는 관심도 없다는 표정으로 스크린을 바라보며.

"우리 센스가 이상한 건지도 모르겠다는 생각까지 드는구
만……."

노래 자체는 그렇다 쳐도——

명랑한 노래와 영상, 선정적인 포즈와 애절한 표정이 완전히 언밸런스하고.

뭐랄까, 그 이전에, 여왕에게 지나치게 색기가 넘쳐나서 세일러복이 전혀 어울리지 않는다.

마치 30대 언저리의 여성이 여고생 코스프레를 하는 거나 비슷한 상태인데——

"뭐, 취향은 사람마다 다르다지만…… 저걸 공략하라고?"

의욕 꺾이네…….

소라는 살짝 한숨을 쉬었다.

■『1일차』■

——느닷없이 일동의 시야에 '1일차' 라는 표시가 나타났다.

소라와 시로에게는 익숙한 메시지지만, 다른 일동을 위해 플럼이 설명했다.

"어, 눈앞에 몇 가지 '커맨드' 가 표시되었을 텐데요오, 그걸 이용해 어느 정도 행동을 선택하실 수 있어요오……. 예를 들면 선물을 준다거나아."

하지만 소라는 플럼의 말에 고개를 갸웃했다.

"그래봤자 이건 레알 연애 게임이잖아? 호감도처럼 숨겨진 패러미터가 있는 것도 아닐 텐데……."

"……빠야."

투덜거리는 소라에게 시로가 스윽 무언가를 내밀었다.

"……커맨드…… 선물…… 빠야, 호감도, 올랐, 어?"

무언가를 기대하는 눈으로 묻는 시로에게 소라는 쓴웃음으로 대답해주었다.

"미안하다, 동생아. 너에 대한 호감도는 이미 카운터 스톱이라 영──"

"하오면 마스터, 외람되오나 제가──"

이번에는 지브릴까지 나선다.

그 대화에서 눈을 돌리며 플럼이 설명을 이어나갔다.

"그리고…… 커맨드 중에 하트 마크가 두 개 있을 거예요오."

일동이 확인하자 금방 찾을 수 있었다.

이런저런 아이콘이 늘어선 패널 가장 왼쪽 아래.

보통 하트 마크, 그리고 『+』가 붙은 하트 마크가 있다.

"그 하트가 고백 커맨드예요오……. 어떻게 고백할지는 여러분의 자유지마안, 이걸 선택했다가 '차이면' '패배'로 간주되는 거죠오……. 그리고 +가 붙은 게──."

"너의 '반하는 마법'── 치트 커맨드란 말이지. OK, 상황은 파악했어. ……그러면."

일찌감치 시스템을 이해한 소라가 이노를 돌아보았다.

"그럼 영감, 서른 명의 아내와 결혼했다면 먹어본 숫자는 그것보다 많겠지? *카ㅇ 타카 뺨치는 테크닉으로 슬렁슬렁 여왕님을 함락시켜 댁의 여자로 만들고 오라고."

---

* 카토 타카: 일본의 전설적인 성인용 비디오 남자 배우. 자세한 내용은 생략한다.

"참으로 마음에 들지 않는 말씀입니다만……."

얼굴을 찡그리는 이노. 그러나 이어서——

"그대가 자랑하는 연애 테크닉을 기대하궂다, 하츠세 이노."

"……영감, 힘내라, 요."

"예! 무녀님의 명령이시라면……!"

이노는 두 명의 성원에 황송해하며 대답하고는 소라를 돌아보았다.

"……하오나 소라 님. 조금 전부터 잠자코 듣기만 했습니다만, 장수를 잡으려면 말부터 쏘라느니, 협력자라느니 정보통이라느니…… 저는 도통 이해할 수가 없군요."

"……뭐?"

눈살을 찡그리는 소라에게 이노는 어깨를 으쓱하며 말을 이었다.

"……설마 소라 님, 여성의 취미와 취향도 무시한 채 자신의 선호는 것만을 밀어붙이거나—— 혹은 상대가 바라는 대로 연기하는 것이 '연애'라고 생각하시진 않겠지요?"

……솔직히 말해, 그렇게 생각하는데.

"아니, 적어도 '연애 게임'은 그렇다고 생각하는데."

"후우…… 그렇군요. 그렇다면 제게 맡기신 것이 현명했습니다. 격투 게임을 마스터해도 격투가는 될 수 없듯, 연애 게임을 마스터해봤자 현실의 연애는 불가능하다는 뜻이지요."

——말은 맞는 말인데, 뭘까.

이 자신감이 수많은 여자를 경험한 실적에서 나왔다는 데에 짜증이 나려 한다.

"소라 님이 왜 동정남에—— 인기 없고 커뮤니케이션 장애에 손도 못 쓸 남자인지 이해할 것도 같군요."

"……영감, 지브릴더러 너를 우주 저편으로 전이시켜달라고 할까?"

소라가 험악한 눈빛을 보냈지만 이노는 아랑곳하지 않았다.

"'연애는 밀당'이라고 하는 자도 있습니만—— 그렇다면 왜 소라 님에게는 불가능하겠습니까?"

——'밀당'이라면.

이노의 수준을 아득히 넘어서 가능하지 않겠느냐고.

암묵적으로 소라의 실력을 전면적으로 긍정한 정론을 펼치는 이노에게 소라는 할 말이 없었다.

"물론 사랑의 형태는 사람마다 제각각. 그러나…… 궁극적으로는 '마음을 전한다', 이 한 가지로 귀결되는 법입니다. 그리고."

이노는 날카로운 눈으로 소라를 바라보았다.

——그 눈에 깃든 감정은 절대 깔보는 듯한 빛이 아니었다.

아이러니하게도, 혐오도 연민도, 경멸도 아니었다.

소라가 잘 아는—— 눈.

원래 세계에서 지긋지긋할 정도로 보았던 눈으로—— 이노가 말했다.

"거짓말에 거짓말을 쌓아 살아온 야바위꾼^{거짓말쟁이}의 말에는 이것을 이룰 힘이 없습니다."

그렇다. 그것은── '불신'이었다.

"그래도, 어디 보자. 밀당이 있다고 한다면 단 한 가지가 있겠군요── 그것은 곧."

그렇게 말한 이노는 자신의 콘솔 화면을 바라보더니.

"'선수필승입니다."

망설임 없이 '고백 커맨드^{하트}'를 선택하고── 이노가 달려나갔다.

""에엑──?!""

소라 일행의 경악은 아랑곳 않고──

워비스트의 신체능력을 유감없이 발휘한 맹렬한 속도로 이노가 돌격했다.

폭음마저 수반하며 달려가는 이노의 시선이 포착한 사람은 단 하나.

지금 막 교문을 들어서려 하는 여왕── 라일라.

수많은 NPC에 에워싸인 채 걷는 그 뒷모습을 향해 이노는 외쳤다.

"거기 계신 아름다운 아가씨! 부디 기다려 주시오!"

전장에서 자신의 이름을 낭랑히 외치는 기사와도 같은 고성에 여왕이 천천히 돌아보았다.

아쿠아마린을 연상케 하는 연푸른색 눈동자가 이노를 보고
── 대답했다.

"저 말인가요……?"

몇 마디 안 되는 그 말마저도 하늘의 선율과도 같아.

"…………큭, 물론!"

한순간 이노는 게임을 잊었다.

눈앞의 미녀에게서 나오는 소소한 말이며 몸짓이 하나같이
그의 영혼을 녹여댔다.

그러나. 안 되지, 안 돼. 고개를 흔들며 이노는 단전에 힘을
주었다.

──반하는 것은 괜찮다. 아니, 반해야만 한다.

어금니를 악물고 눈에 기합을 담는다.

──그러나 빨려 들어가서는 아니된다. 상대를 빨아들여야
만 하는 것이다……!

"아름다운 분이여. 갑작스럽게 부른 점을 용서하십시오. 허
나 의향이 있으시다면── 저의 말을 들어주실 수 있으신지
요."

"어머── 무엇인가요?"

생긋, 여왕이 웃었다.

그저 그것만으로도 이노는 심장이 콱 붙들린 것 같은 심정
을 맛보았다.

여왕의 눈빛, 여왕의 목소리, 여왕의 표정, 하얀 목덜미.

살짝 가슴에 가져다대는 손가락의 각도, 하늘하늘 흔들리는 머리카락이 드리우는 그림자——.

　이 모든 것들이 형언할 수 없는 보석처럼 여겨져서 견딜 수가 없다……!

　——어쩌면.

　이노는 생각했다.

　과거의 도전자는 여왕의 이 미모에 빨려 들어간 나머지 사랑을 고백하지도 못했던 것은 아닐까.

　그만한 미모. 폭력적이라고까지 불러도 좋을 광채.

　과연. 이 여성을 눈앞에 둔다면 어지간한 애송이들은 필경 말도 붙이지 못했으리라.

　그러나 이노는…… 미소로 화답했다.

　——여유는 없다. 이미 여유 따위는 없다.

　사랑은 밀당이 아니다—— 그렇다. 전쟁인 것이다.

　웃고자 하는 행위는 본래 공격적인 것이며,

　——짐승이 이를 드러내는 행위가 원점.

　천천히, 이노는 무겁게 두 무릎을 꿇었다.

　——사랑은.

　기도하듯 두 손바닥을 하늘로 들었다가, 힘차게 대지에 내리친다.

　——사랑이란.

　두 눈으로 힘차게 여성을 노려본다—— 위협이 아니다. 그것은 말없는 선전포고.

——이 두 손으로 쟁취하는 것.

대지에 짚은 두 손과 두 무릎을 가지런히 모으고 이마를 두 개골과 함께 깊이 숙인다……!

——그것은.

한 치의 허점도 없는.

당당한——!

"부디! 저와! 하룻밤 정을 나누어 주실 수 없겠습니까————!"

——애걸이었다.

————………….

""——————————————뭐어?""

——그것은 누구의 목소리였을까.

어쩌면 모두의 목소리였을지도.

소라 일행은 물론 여왕마저 멍하니 입을 벌린 채 넋이 나간 가운데, 아랑곳 않고 이노만이 말을 잇는다!

"당신을 처음 본 순간부터 저의 마음은 마그마처럼 끓어오르고 있습니다. 보십시오! 저의 명품은 강철처럼 단단하게 우뚝 솟았습니다——!!"

"히익……."

흠칫 놀라 여왕이 웃음을 지우며 뒷걸음질쳤다.

그러나 이노는 한층 목소리를 높이며 밀어붙인다……!

"오오, 용서해 주십시오, 바다의 여왕이시여! 그러나 당신의 미모 탓입니다! 당신을 한 번 본 순간부터 당신을 안아 꿰뚫고 싶다는 이 감정이 넘쳐나 멈추지를 않습니다! 타는 듯한 저의 이 마음을 부디 헤아려 주실 수 없겠습니까아!"

"기, 기겁해서 도망칠 틈조차 안 주는 애걸복걸──?!"

소라는 전율했다.

설마 이것이, 30명의 아내를 얻었다는 사내의 필승책이란 말인가?!

주위가 절대영도로 기겁하는 가운데 이노의 뜨거운 애걸 공세는 쇠할 줄을 몰랐다.

"부탁이오니! 부탁이오니! 부디 정교를! 뜨거운 정교를!"

"어, 아니, 저기, 좀…… 저기요……."

잠에 빠져든 후, 꿈에 간섭을 받아 수없이 사랑의 고백을 받았던 여왕.

모든 남성을 냉대해왔던 여왕도 이렇게 직설적인 어프로치를 받은 경험은 전무했는지 당황하며 학교로 도망치려 했다.

그러나──!

"기다리십시오!"

덥썩──.

이노의 근골 우락부락한 손이 여왕의 팔을 붙잡아 만류한다.

"아니, 저기, 이거 놓으세요──!"

"놓지 않겠습니다! 놓지 않고말고요. 내 가슴의 고동을, 내 다리 사이의 열기를 깨우쳐드리고 싶습니다! 늙어 왜소한 몸 일지언정 목숨을 걸고 반드시 만족시켜드리겠습니다!!"

"싫어어어어어어어어어어어!!"

————할 말이 없었다.

이제는 범죄 일보 직전—— 아니, 완전한 변태행위가 눈앞 에서 펼쳐지고 있다.

절대영도 이하의 온도가 존재한다면, 관전 중인 소라 일행 의 공기가 바로 그러했다.

"…………아니, 하지만."

거리를 두고 바라보던 소라가 조심스레 무녀에게 물었다.

"저 영감, 저 방법으로 서른 명이나 되는 아내를 얻었단 말 이지……?"

"……내는 모린다. 와 날로 보노."

"아니 그게, 혹시나 워비스트 여자는 저런 게……"

"에이잇, 말이 되는 소릴 해야제?! 내도 마 어이가 없어 죽 긋다!!"

"아니, 저기, 이거 놔요! 놓으라니깐요!!"

비명과 함께 여왕은 간신히 이노의 팔을 뿌리치고.

그대로 홱 몸을 돌리더니 인파를 헤치고 학교 안으로, 꼬리 를 한 번 쳐서 떠나간다.

"기다리십시오 여왕이시여! 여왕이시여어어어!!"

어어……어어……——

어……——

……어——

이노의 비통한 외침은 푸른 바닷속에 낭랑히 메아리치고—
—— 사라졌다.

홀로 남은 이노는 털썩 고개를 숙이고 그 자리에서 움직이
려 하지 않았다.

——그 모습에 모두 실망이라는 말을 가슴에 품었다.

"……글러먹었네, 저건."

"…………."

——소라의 말에 반론하는 자는 아무도 없었다.

"……아, 아무튼 아직 차인 건 아니지?"

이노가 비록 오체투지로 애걸하기는 했지만, 여왕도 정식으
로 이노를 차지는 않았다.

따라서 시스템상 게임은—— 꿈은 이어지고 있을 텐데…….

소라의 확인에 플럼은 망설이면서 대답했다.

"……그렇다기보다는요오, 그 이전에 저걸 고백이라고 봤
을지 하는 문제가 있지 않을까요오……."

플럼의 말에 고개를 끄덕이며 소라가 말했다.

"——그럼 일단은 평범하게 플레이해보기로 할까. 커맨드
선택…… '하교'."

"——엑?"

눈을 동그랗게 뜨는 일동에게 소라는 고개를 갸웃했다.

"아니, 그치만 학교잖아? 귀찮잖아. 내일부터 열심히 할게."

"……끄덕끄덕."

"……느그들, 와 이 무대를 지정한 기고?"

툭 내뱉은 무녀의 말에는 아무도 대답하지 않았다…….

■『2일차』■

눈을 뜨고 보니 날짜와 '등교' 커맨드가 눈앞에 떠 있었다.

커맨드를 선택하니 시야가 바뀌었다.

정신이 들자—— 소라는 시로와 나란히 통학로를 걷고 있었다.

여기까지 오기 전의 과정—— 아침을 먹고, 교복으로 갈아입고, 집을 나서는.

그런 기타 등등이 생략되었지만 실행한 기억만은 애매하게 머릿속에 남아 있다.

"……빠야, 좋은 아침……."

"좋은 아침……이래봤자 우린 여기서도 '남매 설정'이니까 아침부터 줄곧 함께 있었을걸."

덧붙이자면 동급생 설정이기도 하다.

18세와 11세의 동급생—— 월반을 거듭했다고 억지로 해석하기로 했다.

그리고 소라와 시로가 NPC 사이에 섞여 등교하고 있으려니 뒤에서 목소리가 들렸다.

"——아, 소라. 조, 좋은 아침이네요."

"어……?"

돌아보니 스테프(남장)가 서 있었다.

한 손을 들어 인사를 받은 소라는 눈살을 찡그리며 말했다.

"……안녕. 근데 그 차림으로 여자 말투는 좀 징그러운데."

"자기 맘대로 설정해놓은 게 누군데요……."

도끼눈을 치켜뜬 스테프가 가방 안에서 두꺼운 종이 다발을 꺼내 소라에게 불쑥 내밀었다.

"……뭐야, 이건?"

"이 게임 내에 설정된 여왕님의 프로필과 연락처예요. 그리고…… 그녀의 교우관계로 보이는 역할을 가진 캐릭터의 데이터도 간단하게나마 조사해두었어요."

"——엑, 그걸 다, 벌써?!"

소라는 눈을 휘둥그렇게 뜨며 종이 다발을 펄럭펄럭 넘겨보았다.

'간단하게나마'라고 했지만 막상 훑어보니.

수십 명에 이르는 캐릭터의 연락처부터 취미까지 망라한 '자료'였다.

——입학 이튿날에 이만한 정보라니.

원조 요시오 군 뺨치는 신속한 활약에 반쯤 넋이 나가 소라가 물었다.

"아니 잠깐. 근데 무슨 수로 조사했어, 이걸?"

그러나 스테프는 어리둥절, 그리고 대수롭지도 않다는 듯 말했다.

"'사교계'랑 마찬가지지요. 여왕님의 주변 인물 몇 명에게 다가가면 취미부터 험담, 뒷손가락질에 남녀관계까지 전부 드러나니까요. 현실과는 달리 다소 파고들어서 이야기를 나누어도 뒤탈이 없던걸요?"

————쳇.

"왜요?! 왜 지금 혀를 찬 거예요?! 내가 뭘 어쨌다고?!"

가공할 정도로 대단한 커뮤니케이션 능력.

기대했던 활약이라고는 하지만 너무나 뛰어난 능력에 감사보다도 먼저 짜증이 치밀었다.

"아니, 미안, 나도 모르게……. 아, 아무튼 참고할게. 수고했어."

마음을 고쳐먹고 소라가 치하하자.

"——저, 저기, 그런데 지금 그거 덕에, 그 뭐지…… '호감도'가 올랐나요?"

우물쭈물 양손 집게손가락 끝을 콕콕 붙였다 떼었다 하며 스테프(설정은 남자)가 말했다.

"……뭐?"

"아뇨, 지금 그 선물 커맨—— """"스테프 니이임! ♪""""

——흐약?!"

느닷없이 등 뒤에서 달짝지근한 교성이 들리자 스테프가 비명을 지르며 몸을 휘청거렸다.

황급히 돌아서자 눈에 하트 마크를 띄우고 앞을 다투어 달려드는 소녀들의 모습이 보였다.

"스테프 님! 같이 학교 가요!"

"너 뭐니, 어디서 친하게 굴어! 자자 스테프 님, 이쪽으로——."

"어, 저기, 저는 아직 소라와 할 얘기가—— 누, 누가 좀 도
와주세요오오오오————?!"

무리지어 달려드는 여고생들에게 끌려가는 스테프의 모습
을 소라는 눈을 흘겨뜨며 바라보고.

"…………그대로 땅 끝까지 쫓겨다녀라."

다시 혀를 차고는, 끌려가든 말든 내버려둔 채 곧장 학교로
향했다.

——학교에 도착하자 이노는 아직도 오체투지를 하고 있었다.

■『3일차』■

이즈나가 '선물' 커맨드를 썼다—— 소라에게.

그녀가 내민 것은 고등어 통조림이었다.

그러나 이즈나는 침을 흘리면서 통조림을 노려보았다. 격렬
한 갈등이 있었던 모양이다.

자신도 모르게 이즈나 공략 루트를 검토할 뻔했으나 간신히
참았다.

——등교할 때 교문 앞에서 여왕과 스테프를 발견했다. 이
벤트가 발생한 것일까.

그러나 이쪽은 아직 이름조차 대지 않은 사이이므로 지나쳐서 교실로 향했다.

교실에 도착하자 —— 같은 반 설정인지 —— 소라에게 다가온 여자 교복 차림의 플럼.

"저, 저기요오…… 여러분, 왜 여왕님을 방치하고 있나요오……?"

"공략 캐릭터의 요구 스펙에 도달한 다음 공세를 펼치는 편이 호감도를 쉽게 올릴 수 있으니까."

"……초반……은, 고유 이벤트 말고는…… 패스…… 온리 스펙 쌓기……."

진지한 표정으로 나란히 대답하는 소라와 시로의 주장. 그러나 플럼은 난감한 얼굴로 말했다.

"……그런 건가요오……?"

이노는 아직도 교문에서 오체투지를 하고 있었다.

■『4일차』■

무녀가 '데이트 신청' 커맨드를 썼다—— 소라에게.
등교 중에 느닷없이 말을 걸더니 무녀가 말을 꺼냈다.
"올봄 한정이라카는 '벚꽃산호공원'에 관심 있구마, 같이 안 가긋나?"

정보는 UI에 떠오르고 있는지 무언가를 보면서 읽는다. 그러나 소라에게는 금시초문이었다.

"어? 그게 뭐야. 어디서 봤어?"

"머고, 몰랐나? 오른쪽 아래에 쪼매난 책 같은 기호 있지 않나."

"아, 정말. 오셴드 통신이라──. 연애 게임에서 무녀님에게 밀리다니……."

"쿠후후…… 그래, 우얄끼고? 벚꽃산호라 카는 거이 궁금하지 않나?"

"그래, 상관없지 뭐. 시로도 괜찮지?"

"……응, 보고…… 싶어."

"기왕이면 다른 놈들도 부르자고. 이즈나랑 지브릴이랑 스테프── 플럼도 갈래?"

"마스터. '취미' 커맨드 안에 '도시락 싸기' 가 있사옵니다. 만들어서 지참하겠나이다."

"……저기요, 여러분 정말로 게임의 목적을 잊으신 건 아니겠죠오……?"

이노는 아직도 교문에서 오체투지를 하고 있었다.

■『5일차』■

서클활동 선택 날이었다. 모두 만장일치로 귀가부를 선택했다.

스테프만은 학생회에 들어갔으나 어째서인지 원망 서린 눈
길을 샀다.

　——하교 도중 시로가 옷소매를 잡아당겨 돌아보니——
　"……빠야, 저거."
　마찬가지로 하교하는 여왕의 모습이 있었다.
　"……귀가, 이벤트……?"
　"그런가 보네. 뭐, 귀찮으니 그냥 지나가자."
　"…… '같이, 돌아가다…… 소문나면…… 창피하니, 까' ……."
　"동생아, 그 문장은 읊지 말아줄래?"
　——어렸던 날의 기억이 되살아난다.
　소꿉친구에게 아무 생각 없이 같이 돌아가자고 말해봤더니
그 대사가 튀어나왔던 것이다.
　"생각해 보면 내 인간불신은 그때부터 시작되었던 것인지도
모르지."
　당황한 플럼이 무언가 말하고 있었지만 네네 죄송죄송으로
흘려넘겼다.

　이노는 아직도 교문에서 오체투지를 하고 있었다.

■『10일차』■

　다음 달에 개최된다는 운동회 총연습이 있었다.

어차피 지브릴 무쌍이 될 테니 만장일치로 등교 직후 하교 커맨드를 선택했다.

교문을 나오면서 소라는 '데이트 커맨드'를 써보기로 했다.

——무녀에게.

"어— 음, '다 함께 쇼핑이라도 가지 않을래?'."

"와 국어책처럼 읽노?"

"아니, 그냥 정석이니까."

"근데 용무도 없는데 쇼핑이가. 그기 머가 재밌노?"

"……먹거리, 페스티발…… 한대……."

"그라믄 가보자. 술은 있겠지? 아, 이즈나도 갈끼가?"

"생선이나 고기가 있으면 당연히, 요."

"아. 물론 저도 함께 하겠나이다, 마스터."

스테프도 불러낼까 했으나 학생회 활동 때문에 바쁜지 하교하는 모습을 보지 못했다.

—— '돈' 을 탕진하기는 했지만 모두 함께 제법 괜찮은 맛을 즐겼다.

이노는 아직도 이하생략.

■『15일차』■

"——야, 근데 우린 대체 왜 학교에 가야 하지?"

소라가 그렇게 중얼거린 덕에 일동은 그제야 한 가지 사실을 깨달았다.

그로부터 행동은 신속했다.

다 함께 갈 수 있는 범위의 데이트 스팟을 제패하기 시작하는 계획을 세우기 시작했다.

소라와 시로는 기합을 넣어 옷을 빼입고 약속장소에 도착했으나——

"……실, 망……."

추욱 어깨를 늘어뜨린 시로를 대신해 소라가 물었다.

"……무녀님…… 그냥 물어보는 건데, 왜 그런 차림이야?"

정각에 나타난 무녀는 추리닝에 샌들을 신은, 여러 가지 의미에서 불쌍하기 그지없는 복장이었다.

중년 아저씨의 평소 옷차림이나 다를 바 없는 모습. 그러나 무녀는 어깨를 으쓱했다.

"하카마에 짚신이 웁드라꼬. 이기는 싸 보이도 움직이기 핀해서 좋드라. 느그야말로 하이킹 가는데 정장에 드레스믄 이상하지 않나?"

"지브릴도 왜 수영복으로 왔는지 좀 물어봐도 될까?"

"예? 복장 선택이 뜨기에 가장 평소 복장에 가까운 것을 골랐사옵니다만."

……참고로 성실하게 학교에 다니는 스테프의 말에 따르면 역시 이노는 이하생략.

■『20일차』■

──슬슬 다들 싫증을 내기 시작했다.

오랜만에 변덕을 부려서 성실하게 등교해보았다.

그러자 어째서인지 '소라가 스테프(남)에게 상처를 주었다'는 소문이 돌고 있었다.

대체 무슨 일인가 물어보려고 점심시간에 스테프를 찾아보니.

"…………!"

소라의 얼굴을 보자마자 스테프가 험악한 낯빛으로 도망쳤다.

"뭐가 어떻게 된 거람."

"……그런…… 게임, 이니까……."

아무 것도 안 했는데 알아서 '*폭탄' 마크가 뜨는 것은 뭐, 원래 그런 시스템이고.

하지만 어째서 그것이── 남자(설정상)에게 붙는단 말인가.

"야, 플럼. 시스템에 너무 구멍이 많잖아, 이 게임."

버그 제대로 잡으라고 호소하는 소라. 그러나.

"……그보다요오, 정말 게임의 취지를 잊으신 건 아닌가요오?"

플럼은 먼 곳을 바라보는 표정으로 슬픈 한숨을 쉴 뿐이었다.

──그리고── 이노는, 아직도, 교문에서, 오체투지를 하고 있었다………──.

---

* 폭탄: '두근두근 메모리얼' 의 시스템. 특정 캐릭터만을 상대하다 보면 말을 걸지 않은 캐릭터의 상심도가 높아져 '불이 붙은 폭탄' 이 나타난다. 계속 방치하면 폭발해 모든 캐릭터의 호감도를 떨어뜨린다.

■『25일차』■

별일은 없었다.
슬슬 여름방학 일기 후반처럼 되어간다.

■『30일차』■

별일 없음.

■『35일차』■

별이하생략.

■『39일차』■

──내일은 등교해보자.
이노가 어떻게 됐는지 슬슬 신경이 쓰이기 시작하니……──.

■『40일차』■

──여명이 하늘을 물들이고 있었다.
햇빛이 비치는 교문 앞에는 따개비에 뒤덮여 지면과 하나가
된 해쓱한 석상이 있었다.

장엄한, 신성함마저 풍기는 그 모뉴먼트는——

"……서, 설마…… 영감, 이야?"

오랜만에 등교한 일동이 숨을 멈추고 바라보기에 충분한 것이었다.

——처음에는 기겁했던 소라 일행도…… 이제는 말이 나오질 않았다.

후광마저 비칠 것 같은 그 자태는.

분명—— 틀림없이, 그 무엇보다도—— 남자다웠다.

……그는 게임이 시작된 그날로부터 매일 자신의 앞을 말없이 지나쳐가는 여왕에게.

그저, 고개를 숙이고만 있었다.

석상처럼. 미동도 하지 않고.

상황이 이 지경에 이르면 무어라 말을 해야 좋을지 알 수 없다.

아니, 무엇보다도 그의 그 모습이 바로 웅변이 되어 목을 놓아 부르짖고 있었다.

그 말은 곧——

한 번 하 게 해 달 라 고————!!

그 늠름한 모습에 소라는 남자로서 경의를 담아 인정하지 않을 수 없었다.

과연…… 연애란 밀당이 아니구나.

──사랑의 증명인 것이다.

이 노인은 자신의 말을 몸소 실천해보이고 있었다.

그렇다면── 자신이 연애를 이해할 수 없는 것도 크게 수궁이 간다.

소라는── 휘청휘청 그 석상── 아니, 사나이에게 다가가, 전율했다.

"작구나── 이 얼마나 작단 말인가, 나는."

그런 사나이와 자신을 비교하며 소라가 중얼거렸다.

고작해야──라는 생각밖에 들지 않는 '연애'를 위해, 땅에 40일 동안 무릎을 꿇을 수 있을까.

소라는 아니라고 대답할 수밖에 없었다.

이자는, 이노는, 자신을 속이지 않고, 수치를 두려워하지 않고, 자신의 마음을 그대로 드러내 내던진 것이다.

이 이상 성실한 사랑이 있을까── 아니, 없다!

"그렇구나…… 이것이, 이것이 '사랑'이었구나……."

"……절, 대…… 아니야……."

무언가를 깨달은 듯 감격의 눈물을 흘릴 것 같은 소라의 중얼거림. 지체하지 않고 반론하는 시로.

그때── 문득.

그런 성상(聖像)에.

무언가가 아침 햇살을 가로막은 듯── 그림자가 드리워졌다.

우아하게 물속을 헤엄쳐 등교하던 그 그림자의 주인을 따라가보니——

　그곳에는 ——여왕이 있었다.

　시선은 똑바로 소라를 지나쳐—— 성상을—— 아니, 이노를 바라보고 있었다.

　——설마.

"……엑, 그래 될 리가—— 설마……?"

　멀리서 바라보던 무녀가 자신도 모르게 중얼거렸다.

　그러나 여왕은 여전히 이노에게 다가왔다.

　그리고 이노의 두 뺨을 살며시, 손으로 감쌌다.

　그 순간…… 생물이었던 사실을 겨우 떠올린 것처럼 석상이 움직였다.

　따개비가, 땅이, 달라붙었던 돌이 떨어져나간다.

　부드럽게 감싸고 고개를 들게 한 여왕의 두 손에 이끌리듯, 이노의 얼굴이 올라간다.

　그리고—— 듣는 자를 모조리 포로로 만드는 그 목소리로——

　이 세상의 어떤 보물보다도 아름다운 웃음을 띠며.

　말했다.

"……그래도 아니죠—."

　——그쵸~……?

모두의 마음이 한 목소리를 냈다.

"──큭……."

그러나 이대로는 끝낼 수 없다며 이노는 어금니를 악물었다.

분명── 자신의 사랑은 버림받았다.

멋들어지게 자폭했다. 티끌이 되었다.

그러나── 상황이 이 지경에 이르러서는 어쩔 수 없다──!

무녀에게서 부탁받은 책무를 다하기 위해── 이노는 UI에서 커맨드를 선택했다.

──『+』가 붙은 하트 마크.

다시 말해── 플럼의 '반하는 마법' 커맨드를.

그리고──

"──실례하옵니다, 여왕이시여! 흐, 으으으으으으으음!!!"

불끈. 서로를 맞잡은 스모 선수처럼 힘차게.

──여왕의 가슴을 주물렀다.

그렇다── 플럼의 '술식'을 완성시키기 위한 커맨드를 실행한 것이다.

"───────에엑?!"

그 순간 붉은빛이 여왕의 주위를 에워싸고, 여왕은 눈을 크게 떴다.

──동시에.

"──아, 으윽──!"

플럼이 눈에 복잡한 모양을 띄우며 괴로움에 찬 목소리를 냈다.

송두리째 힘을 빼앗겼는지 까만 날개가 한순간 핏빛으로 물들더니, 그녀는 주저앉았다.

"……아, 아아……."

그러나 여왕은 이노에게 가슴을 붙들린 채 가느다란 목소리를 내고 있었다.

얼굴은 붉게 물들고── 눈에 띄게 심장 박동이 뛰어올랐다는 것을 소라 일행조차 알아볼 수 있었다.

"해, 해냈어요오──! 이젠──!"

플럼도 확신을 품고.

"이, 이제엔, 이노 님이 아무리 모두들 기겁할 만한 하반신 최우선주의자라 해도, 그것 때문에 여왕님이 어떤 감정을 품더라도…… 그것이── '반한 것'이라고 인식하실 거예요오!"

혼란스러운 틈을 타 제멋대로, 그러나 지친 목소리로 떠들어댄다.

──새삼 봐도 참 지독한 마법이라고 소라도 내심 중얼거렸다.

그러나 과정이야 어쨌든 이로써 여왕은 '반했다'.

다시 말해 게임은 끝났으며.

──그리고.

"──아뇨, 아뇨아뇨. 반한다고 해도 이건 아니거든요. 아니라고요. 미안해요!!"

──그렇게, 딱 잘라, 이노를 차버리고.

꼬리지느러미를 한 차례 휘둘러 날아가듯── 여왕은 학교
로 향했다.

…….

─────………….

……*슬~픔의~ 저편~으로~……──

뭐 그런 BGM이 소라의 머릿속을 흘러갔다.

사나이는 모든 것을 불태웠다.

하얗게── 아니, 원래 털이 하얗기는 했지만── 새하얗
게 불태웠다.

인터페이스에 떠오르는 '하츠세 이노 패배' 라는 문자열.

그러나 교문 앞에서, 부서지고도 여전히 여전히. 하얗게 불
태우고도 여전히.

──여왕의 가슴을 만졌던 자세 그대로 사나이는── 하츠
세 이노는 재가 되어 남아 있었다.

휘청휘청…… 소라가 다가갔다.

무어라 말을 걸어야 좋을지 알 수 없었다.

──그러나, 그래도 말해야만 했다.

"영감── 아니, 하츠세 이노. 나는 당신을 오해했어."

떨리는 목소리로 소라는 단어를 골랐다.

---

* 슬픔의 저편으로: 게임 '스쿨 데이즈' 의 엔딩테마 중 하나. 배드 엔딩 중에서도 특히 작중인물 중 누군가가 끔찍
하게 죽는 '데드 엔딩' 에 등장한다.

"당신은 정말 커다란—— 사나이야. 저 여자에게는…… 보는 눈이 없는 여자에게는 너무나 컸어……."

그러나 그대로 재가 되어 사라질 것 같던 이노는.

그래도——

"——아닙니다, 소라 님……. 저의 사랑이 부족했던 것입니다. 사랑에 죄는 없지요."

그렇게, 말하고—— '차였기에' 전권을 박탈당해 게임에서 탈락한 이노는.

불타버린 회색에서 투명색으로 변해갔다—— 그리고.

"이노……? 이노, 이봐! 기다려! 장난하는 거지?!"

외치면서 이노의 어깨를 끌어안는 소라를 놓아둔 채, 이노의 몸은 게임 내에서 사라져간다.

——이렇게 하츠세 이노의 고등학교 생활은 막을 내리려 했다.

이것저것 많은 일이 있었던 것 같으면서도 한 거라곤 오체투지뿐이었던 고등학교 생활.

다시 한 번 시작할 수 있다면, 이번에야말로 후회 없는——

——그런 미련이 뚝뚝 묻어나는 마지막 말이 정석인 이 자리에서, 이노는 오히려——

"홋…… 없습니다, 후회는……. 다음 기회가 있다 해도, 마찬가지로, 또다시——."

멋진 미소와 함께 딱 잘라 부정하고, 소라의 품 안에서——

사라졌다.

──휘잉. 정적이 찾아온 가운데 소라는 하늘을 우러렀다.

사나이의 눈물로 빰을 적시며.

"하츠세 이노…… 당신은 정말 얼마나…… 크으윽!"

그러나 혼자 분위기 잡는 소라를 내버려둔 채 다른 일동은 냉담한 눈빛이었다.

──이게 무슨 촌극인가.

이노는 딱히 죽은 것도, 사라진 것도 아니다.

그저 꿈── 게임 밖으로 돌아간 것뿐이다.

그러나 소라는 무엇과도 바꿀 수 없는 전우를 잃은 것처럼 떨고 있다.

"이게 어떻게 된 거야──…………!!"

마찬가지로 싸늘하게 바라보던 플럼에게 소라는 피를 토하듯 외쳤다.

"어떻게 된 거야, 필승이 아니었어?! 이 사나이는── 자신의 미학마저 버리고!! 너희를 위해 '치트'까지 썼단 말이다. 그런데 왜…… 왜── 여왕은 한 번 주지 않는 거냐고!!!"

"──그, 그게요오…… 저기, 아무리 그래도 그건, 마법으로도 무리가 아닐까요오……?"

──그렇게 웅얼거리는 플럼의 말도 일리가 있다.

무녀의 뇌리에 예전 플럼이 말했던 이야기가 떠올랐다.

저것에게 반하느니, 굴러다니는 돌멩이에게 반하는 편이 현실적일 것 같다.

하지만——…….

슬쩍 웃음을 띤 무녀를 내버려둔 채 소라는 무릎을 꿇고 바닥을 내리치며 여전히 길길이 날뛰었다.

"웃기지 마! 이보다 더 큰 '사나이'가 어디 있다고—— 안 그러냐 시로? 무녀님, 치브릴!"

포효하는 듯한 목소리에.

이름을 불린 세 사람은—— 그저.

——수긍했다.

"……에, 에엑~?"

세 사람의 수긍에 기겁해 한 발짝 물러난 것은 스테프.

반면 플럼은 귀기 서린 소라의 표정에 겁을 먹고 당황했으나.

황급히, 다독이듯.

"지, 진정하세요오오……. 이, 이건 극단적인 예였을 뿐이고요오…… 이노 님은 아밀라 님께 되돌려달라고 할 수 있고, 다시 한 번 소라 님이 평범하게 해 주시면요오——."

그렇게 말하며 소라의 얼굴을——

들여다본——

플럼은——

"——……헉?!"

심장을 꽉 붙들렸다.

아니, 그런 착각을 했다.

그곳에—— 이제까지의 소라는 없었다.

조금 전까지만 해도 격앙하여 거칠게 소리를 지르고 팔을
휘둘러대던 자도 없었다.

헤실헤실 웃음을 지으며 플럼의 부탁을 들어주던 저렴한 사
내도 없었다.

그곳에 있던 것은—— 플럼이 모르는 누군가.

그저 불손하게, 희미한 웃음을 짓고……

'함정에 빠진 사냥감'을 연민하는 사냥꾼의 눈을 한 사내.

그런 사내가, 싸늘하게 얼어붙을 것 같은 목소리로 단 한마
디를 했다.

"다시 한 번? ——왜?"

——그야……

"……이미, 우리가…… 이겼어……."

"——네……?"

그 어떤 온기도 깃들지 않은 눈으로 천천히 일어나는 사내
의 말을 시로가 받았다.

아니—— 시로 또한…… 플럼이 모르는—— 절대영도의 눈
을 가진 소녀였다.

그 표변에—— 플럼은 한 걸음 물러났다.

플럼은 이 두 사람을 모른다.

그러나 스테프도, 지브릴도, 무녀도, 이즈나도…… 알고 있
다.

몰랐던 것은. 가엾게도. 하필이면——

그들을—— 소라와 시로를—— 이 남매를.

척으로 돌렸던 플럼 일행뿐.

그것은 도망칠 곳 따위 한 치도 남겨두지 않은 책략(함정)을 완성
했을 때의.

—— '최악의 적' —— 『^{공백}』이었다.

"——이젠 충분하겠지? 무녀님, 지브릴."

천천히 뒤로 시선을 돌리며 묻는 소라.

"아, 충분히 즐겼다. 인차는 됐다."

"확인을 마쳤나이다. 언제든지—— 명령만 내리시옵소서."

고개를 끄덕이는 두 사람에게 소라가 감회도 없는 목소리
로.

말했다.

"해치워, 지브릴."

"——존명."

고개를 숙인 지브릴의 날개가 펼쳐졌다.

——그저 그뿐이었으나.

담피르 수십 명이 달라붙어 편찬했던 술식—— 여왕의 꿈에

간섭하는 '마법^{게 임}' 이.

솜털처럼 손쉽게 날아가—— 경치가 박살났다.

⏻ 제4장 광대 ^{Wild Card}

──공간이 폭발했다.

밖에서 꿈^{게임}을 관전하던 아밀라는 그렇게밖에 느낄 수 없는 충격을 받았다.

"⋯⋯에?"

──꿈의 세계를 파괴하고 눈을 뜬 일동을 맞이한 것은 눈을 동그랗게 뜬 플럼과 아밀라.

플럼을 비롯한 담피르 수십 명이 피까지 공급받아가며 편찬했던 술식. 그것이 지브릴의 의지 하나에 손쉽게 분쇄되었다는 사실에── 대해서가 아니라.

자리에서 일어나며 이어진 소라의 말 때문이었다.

"──자, 체크 메이트. 우리가 이겼지."

"⋯⋯어, 어어~ 아밀라는 쫌 상황이 이해가 안 가는데~☆ 응~?"

그렇게 뻣뻣한 웃음을 짓는 아밀라. 그러나 시로, 그리고 소라가.

태평하게 간결하게 말했다.

"······ '세이브 중단 불가' ······는······ 설정하지, 않았어······."

"모두가 차일 때까지 게임에서 빠져나갈 수 없다고는 정해 놓지 않았어. 우리가 게임을 '중단' 해도 아무 문제 없는 거 아냐······? 【맹약】은 엄밀하게 나누셔야지~?"

그렇게 대수롭지도 않다는 듯 대답하며 일어나는 일동에게 소라가 말했다.

"자, 지브릴. 이젠 됐어. 공기 되돌려줘."

"——존명."

스스럼없이, 한순간에 마법의 궤적을 손가락으로 그리는 지브릴. 그 순간.

——느닷없이 폭풍이 여왕의 방을 엄습했다.

순식간에 물이 밀려나고 여왕의 방 안에—— 공기가 퍼졌다.

"······엑······?"

아연실색한 플럼과 아밀라에게 지브릴이 슬며시 비웃음을 띠었다.

"실례······ 도착했을 때 가져와 기포 상태로 압축한 대기를 원래대로 되돌렸을 뿐입니다."

물이 밀려나고 튕겨나고 공기가 발생한 넓은 방 안에서.

"————커허억——! ······헉······허억······! ······하, 하하······."

——이제까지 꿈속에서 말고는 한 마디도 하지 않고.

평정을 가장했던 무녀가 표정을 일그러뜨렸다.

오랫동안 참았던 호흡이 가능해져 어깨를 들썩이며 웃는다.

순식간에 붉게 물든 온몸. 몸속에서 끓은 피의 증기를 뿜어내며.

──그리고 스스럼없이 트릭을 밝힌다.

"20기압 수압에 이맨치로 오래, 맨몸으로 견디는 기는…… '혈괴' 를 쓰도 힘들었다."

너무나도 극심한 괴로움으로부터 해방된 반동에 당장에라도 쓰러질 것 같았지만.

그래도 무녀는 오기로 간신히 책상다리로 앉는 데서 그치고, 팔로 턱을 괴며 웃었다.

"────에?"

어리둥절한 표정을 짓는 플럼, 아밀라, 그리고── 스테프.

그러나 상대하려는 기미도 없이, 가면 같은 감정이 떨어져 나간 소라가 말을 받아 이었다.

"──하지만 '그만한 수압이 있으면 피는 몸 밖으로 나가지 않아'. ── '혈괴' 를 썼다는 흔적도 남지 않고, 들키지도 않은 채 놈들의 심장 소리를 마음대로 읽을 수 있단 말씀──. 수고했어, 무녀님. 결론을 들려줘."

──그 표정에.

"……참말로 사람 막 부리먹는구마…… 마, 댔고."

'아군이라 다행' 이라고 진심으로 생각하며, 엷게 웃음을 띤 무녀는 대답했다.

"저 세이렌은── 여왕 깨울라카는 맘이래 쪼매도 읍다."

──그 말에 아밀라의 표정이 명확하게 흔들리고,

다시 이어진 말에는 확실하게 얼어붙었다.

"소라 씨가 넘겨짚어 봤을 때── 여왕이 설정한 '판돈'에 고개 끄덕인 것도 그짓말이다. ──아, 그리고."

무녀는 그런 아밀라와 플럼의 반응에 기분이 좋아져 괴로워하면서도 웃더니.

이번에는 소라에게 부드러운 눈빛을 띠며 말을 이었다.

"니 취향이라 카고 멋있다 칸 기로 처언부 거짓말이었데이."

"나도 눈치채거든 그 정도는──…… 망할."

소라의 반응에 재미나다는 듯 웃고는.

그리고── 아밀라와 플럼을 놀리듯.

"……내 오감을, 바닷속이믄 차단할 수 있을 거라꼬 생각했나?"

괴로움을 감추지도 못한 채, 그러나 한껏 멋들어진 조롱을 담아 일그러진 얼굴로 비웃는다.

"──내도 말이재, 멋이나 취미로 워비스트의 '전권대리'가 댄 기 아이데이."

상처 입었음을 최대한 들키지 않게 하기 위해 소라가 눈을 돌렸다.

그 시선을 받아 공손히 앞으로 나서며 지브릴이 대답했다.

"마스터, 이쪽도 틀림없나이다. 플럼이 편찬한 술식은 정확

히, 확실하게, 여왕을 반하게 만들고자 정상적으로 발동하였
사옵니다. 그리고——"

이번에는 플럼이 얼어붙을 차례였다.

"——틀림없이 정상 작동하여, 여왕은 확실하게 영향을 받
았나이다."

——위장되었을 가능성은?

말없이 이를 확인하는 소라. 그러나 미소로 대답하는 지브릴.

"심려치 마시옵소서. 그러기 위해 한 차례 무녀님께 연기를
시키셨던 것 아니옵니까?"

웃음으로 대답하는 소라. 마지막으로—— 시로를 돌아본다.

그러나 말은 한 마디도 나누지 않았다.

"……응……. 전부…… 기억했어……."

——그 단 한마디로 시로는 오빠의 모든 요구에 응답했다.

각자의 대답에 만족한 듯 소라가 한 차례 고개를 끄덕였다.

그리고 여전히 헤실거리는 웃음을 지우지 않은 채.

그러나 그 웃음에는—— 앞머리가 드리운 그림자와 그 틈으
로 뿜어져나오는 지나칠 정도로 날카로운 안광.

맹수가 노려본 것이 아닌가 생각이 들기에 충분한 얼굴로
소라가 말했다.

"——야, 담피르랑 세이렌. 진심으로 '우리'를 먹이로 삼을
수 있을 거라 생각했냐?"

그 말에 플럼과 아밀라, 두 사람의 눈이 살짝 흔들렸다.

그러고도 설마 소라에게 '정곡을 찔렸음'을 들키지 않으리라고 생각했다면—— 너무나도——

"에, 에, 저기, 무, 무슨 뜻인가요?"

"…………?"

여전히 상황을 이해하지 못하는 스테프와 이즈나는 의아한 표정으로 어리둥절 서로를 돌아본다.

그러나 이 이상 설명을 할 마음은 없는지, 소라는 짝 손뼉을 치고 발을 돌렸다.

"자. 집에 가자, 지브릴. 해변까지 보내줘."

"존명."

지브릴이 날개를 펼치고 광륜을 돌리는 가운데 황급히 일동이 지브릴을 붙잡았다.

"엑?! 저기요! 기, 기다리세요오오!"

마찬가지로 황급히 달려온 플럼을 맞은 것은.

"눈치 빠르구만, 담피르—— 가엾은 따까리^{피해자} 역할은 이제 안 해도 되냐?"

——엷은 소라의 웃음.

그 웃음에 플럼의 등줄기에 오싹 소름이 돋았다.

——아밀라가 소리를 질렀다.

"에~? 이노 님은~ '여기' 있는데~? 그냥 돌아가도 괜찮을까나~♡"

아밀라의 곁, 발치에 축 늘어진 채 누워 있는 이노에게 시선이 모였다.

　이즈나의 시선이 불안스럽게 이노의 모습과 소라 일행을 몇
번이고 왕복하는 가운데——

　소라는 딱 잘라 내뱉었다.

　"그래, 괜찮아."

　"왜냐면 넌…… 이노에게 손을 댔다간 어떻게 될지—— 알
고 있잖아?"

　눈을 크게 뜨는 아밀라를 돌아보며 조롱하듯 소라가 비웃음
을 띠었다.

　"나를 상대로 바보 행세라니—— 사람을 우습게 봐도 분수
가 있는 거야, 초짜야."

　그리고 발을 돌려선.

　"——또 올게, 세이렌. '우리'를 우습게 본 대가—— 비싸
게 먹힐걸?"

　지브릴의 공간전이로, 아밀라와 이노를 제외한 모두가 도약
했다.

■ ■ ■

　해변으로 돌아온 일동.

　이미 해는 저물어 붉은 달과 무수한 별과—— 모닥불만이
비추는 모래사장.

파도 소리와 모닥불에서 피어나는 불똥 소리만 울려 퍼지는 가운데, 소라 일행이 즐거이 이야기를 나눈다.

"야, 시로. 이제 다 익은 거 아냐?"

"……열대어도…… 먹을 수, 있어……?"

"'레리테'라는 해수어이옵니다. 맛은 그럭저럭 죽여준다 하옵니다."

──오셴드에서 지브릴의 공간전이로 해변까지 돌아온 일동은.

대량의 해수와 함께 이동하는 바람에 끌고 와버린 물고기를 해변에서 굽고 있었다.

"크하아──…… 일 한바탕 마치고 술안주로 딱 좋다마는…… 기왕이믄──"

꼴깍 잔을 기울이고 생선구이를 뜯는 무녀의 말을 소라가 받아 이었다.

"*기왕이면 '유부'가 좋겠다고?"

"──내 좋아하는 거로 으찌 아노? 내가 말하드나?"

어리둥절하는 무녀를 내버려둔 채 소라와 시로가 웃었다.

그런 화기애애한 광경으로부터 한 발짝 물러난 곳에선──

"뭐, 뭐예요…… 뭐가 어떻게 된 거냐고요!"

전혀 상황을 이해하지 못하겠다는 스테프가 외쳤다.

그 곁에서 고개를 숙인 채 말이 없는 이즈나.

그리고 그보다도 조금 더 떨어진 곳에서── 플럼 또한 말이 없었다.

---

* 일본에서는 여우가 유부를 좋아한다는 이야기가 있다.

그런 스테프를 흘끔 쳐다본 소라는 다 구운 생선을 물어뜯으며, 말했다.

"뭐고 자시고—— 플럼이 우리를 속이려 했어. 그뿐이지."

——눈을 동그랗게 뜨며 플럼을 쳐다보는 스테프에게 대답하듯.

"언제부터 알아차렸냐—— 그거지, 플럼?"

……아니, 여전히 고개를 숙인 플럼을 비웃듯 소라가 말을 이었다.

조심스레 시선을 든 플럼에게 쓴웃음을 지으면서도 대수롭지 않다는 듯 소라가 말했다.

" '처음부터' 였어—— 네 이야기는 철두철미하게 이상했으니까."

소라를 따라 시로와 무녀와 지브릴만이 희미하게 웃었다.

——과연. 실제로 담피르와 세이렌은 공생관계에 있었다.

여왕이 잠들면서 그 관계는 파탄이 났고 멸망의 위기에 직면했다.

지브릴의 말에 플럼도 반론하지는 않았다—— 그러나.

재미없는 개그를 들었던 것처럼 쓴웃음을 지으며 소라가 말했다.

" '확실하게 깨울 수 있는 마법을 만들었으니까 도와주세요' ——? 하하, 말도 안 돼."

"……네? 왜, 왜 말이 안 되나요?"

혼자서만 상황을 따라잡지 못하고 있는 스테프에게 소라는 그저 의아하다는 듯.

구운 생선을 꽂은 꼬치로 척 가리키며──

"필승의 수라고 거짓말을 해서 불가능 게임에 빠뜨리곤 죄다 벗겨먹는 편이 이득이니까. 넌 안 먹어?"

"────…………."

추잡한 발상을 웃으며 단언하는 소라를 보며 스테프는 자신도 모르게 얼굴을 굳혔다.

"──그렇다고는 해도 '걱정거리'는 있었지."

구운 생선을 입에 넣으며 소라가 말을 이었다.

"나는 플럼이 거짓말을 하는 것처럼은 안 보였거든. 같은 방에 있던 이즈나도 거짓말 반응을 읽지 못한 것 같았고── 아, 맞다. 이즈나, 생선 안 먹을래?"

플럼과 처음 만났던 밤을 떠올리며 꼬치를 내미는 소라에게.

"…………안 먹어, 요."

조금 떨어진 곳에서, 이즈나는 그저 살짝 고개를 가로저었다.

소라의 맞은편에 앉아 술잔을 기울이던 무녀도── 그저 눈을 감은 채 고개를 가로저었다.

"그래. 그래서 혹시 몰라 무녀님에게도 데리고 갔는데── 역시 거짓말은 아니었어."

지브릴이 경계하면 거짓말을 위장하는 마법은 간파할 수 있다.

그렇다면 워비스트 최강의 '무녀'를 앞에 두고 거짓말을 할 경우 확실하게 들통이 나리라 판단한 것이다.

그러나──

잇달아 생선을 불에 구우며.

"그때 플럼이 보여준 게 놀랍게도── '정말로 확실하게 반하도록 만드는 마법'이었어."

──불에 비친 얼굴은 어딘가 즐거워하는 분위기였지만.

으스스하게 흔들리기도 했다.

소라의 말이 이어졌다.

"정말 필승의 마법을 가졌구나── 그럼 왜 우리에게 도움을 청했을까."

"그, 그건, 말하자면 거짓말이 아니었다는 뜻 아닌가요?"

진심으로, 그저 도와주기를 원했다는 뜻이 아닐까──?

그렇게 묻는 스테프에게, 소라는 꼬치를 만지작거리며 대답했다.

"그래, 거짓말은 아니었어── '그거야말로 문제가 되는' 거라고."

──그리고 무릎에 앉은 시로에게 시선을 떨구는 소라. 시로가 대답했다.

"······UTC(협정세계시) 6/20 22:42······ '빠야'······."

마치 레코더처럼 한 글자 한 구절 틀리지 않고──

"······『그 게임에 참가하면 우리는 무슨 대가를 얻지?』······."

핸드폰을 손에 들고 '원래 세계'의 표준시각에 따라── 시간 순서, 억양까지도 '완벽하게 기억'한 시로가 소라의 말을 '재생'에 가까운 정확도로 읊자, 일동은 눈을 크게 떴다.

"──그리고 그렇게 말한 내게 플럼은 뭐라고 그랬더라?"

"……UTC 6/20 22:43…… '플럼'……."

무표정하게, 담담하게.

"……『어디…… '오셴드의 해저 자원 3할을 제공하고 영구 우호관계를 체결'이라네요오. ……그, 그리고요오…… 저기이. 저, 저를 마음대로 하셔도 좋아요오…….』……."

이번에는 플럼의 말을 '재생'해 대답한 시로에게 쓴웃음을 짓는 소라.

"그래── '이 부분'이었어. 거짓말은 아니야── 하지만 '진실도 아니었지'."

소라는 손으로 만지작거리던 꼬치를 스테프에게 불쑥 내밀었다.

"스테프, 놈들의 게임에 '모든 것'을 걸겠다고 했을 때 넌 대들었지?"

"어, 네에……. 우리는 도와달라는 부탁을 받고 온 거니까요."

"그래. 네 말이 옳아."

"──네? 어라?"

태연히 내뱉으며 물고기를 물어뜯던 소라가 주눅 드는 기색도 없이 말을 이었다.

"필요한 정보를 이끌어내기 위해 부정했던 거였어. 사과하는 의미에서 스테프가 느낀 위화감의 정체를 밝혀주지."

스테프가 품었던 '이상하다' 고밖에는 표현할 수 없었던 위화감. 그것은——

"이 '게임' 은 말야—— '경마' 같은 거였어."

"겨, 경마요? 말 레이스에 내기를 거는 그것 말인가요?"

이 세계에도 경마가 있어서 다행이라고 내심 고개를 끄덕이는 소라.

"경마는 말로 레이스를 벌여서 어떤 말이 이길지를 맞추는 '게임' ……이지만, 근본은 어디까지나 레이스 쪽에 있지—— 다시 말해 '기수가 겨루는 게임' 이잖아."

알기 쉽게 말한다면 그것은.

"경마는—— '기수의 게임을 재료로 삼아 벌이는 갬블 게임' —— 이중 게임이야."

"기수는 여왕의 사랑을 얻기 위해 레이스 게임을 했어."

그러나——

"반면 아밀라나 플럼이 제시한 자원제공과 우호조약은, 어디까지나 '여왕이 눈을 뜬다' 는 마권에 대한 '상금' 이었지. —— 경주와 경마는 두 개의 독립된 게임인데도, 우리는 말로도 갬블러로도 참가했던 거야—— 위화감이 드는 게 당연해."

스테프는 흠칫 숨을 멈추었다.

……그렇구나.

소라의 비유대로라면, 이쪽은 레이스를 하는 기수 그 자체였는데도.

모든 것을 걸고 자기 마권을 사도록 강요당해—— 두 번째 게임 '에도' 참가할 수밖에 없었던 거네요.

그러나 소라는 그런 스테프의 생각을 읽은 듯 고개를 가로저었다.

——문제는 그것이 아니라고.

"그래서 이게 경마라고 치면, 기수^{우리}에게 돌아오는—— 레이스의 '상금'은 어디 있지?"

심술궂은 웃음을 지으며 플럼을 쳐다본다.

"……에, 여, 여왕님의 사랑…… 여왕님의 눈을 뜨는 것, 아니었나요?"

"——반하게 만들면 반해준다? 반한 왕자님을 위해 일어나준다? ——지리멸렬하고, 여왕만 일방적으로 득을 볼 뿐이잖아. '상호 대등'한 승자에 대한 판돈은 어디로 갔어?"

그제야 스테프는 위화감의 '본질'에 도달했다.

자원제공, 우호조약, 플럼의 신병—— 어느 것 하나 여왕이 설정한 것이라고는 생각할 수 없다.

그렇다면 여왕이 【맹약에 맹세코】 잠에 들었던 게임의.

상호가 대등하다고 판단한 '판돈'—— 승리한 기수에게 주어야 할——

──상금에 대해서는──
────한 번도 언급되질 않았어?!

무녀가 쓴웃음을 지으며, 다 먹은 생선을 꿰었던 꼬치를 만지작거렸다.

"이 일련의 게임엔 두 가지 측면이 있었다. 캐도 소라 씨가 '게임에 이겼을 때의 이익'을 언급하니까, 저 담피르는 이중성을 일부러 건드리지 않고 대답했제. 거짓말은 아이네. 캐도 말이다."

웃으며 무녀가 말을 이었다.

"거짓말이 아이라캐서── 꼭 진실이라고는 몬 하는 거데이."

그 말을 들은 플럼의 심박으로부터 '정곡을 찔린 소리'를 듣고 무녀가 슬며시 웃었다.

그러나 소라는 과장된 몸짓으로, 짐짓 깊이 생각에 잠긴 양──

"자, 그래서 '문제'인데…… 왜 그 이중성도 언급할 수 없었을까?"

플럼에게 시선을 고정한 채, 손으로는 꼬치를 만지작거리며 소라가 말한다.

"너는 해저에── 무녀님과 이즈나의 오감이 차단될 거라 생각한 장소에 도착할 때까지 언급을 회피했어. '아밀라가 노 리스크라고 말했다', 그 한마디를 왜 하지 못했지?"

그리고 소라의 등 뒤에서 열심히 생선을 해체해 꼬치에 꿰고 양념을 뿌리던 지브릴이.

소금간을 잘 해 꼬치에 꿴 생선을 소라에게 내밀며.

"──플럼이 그 말을 입에 담으면 '거짓말'이 되기 때문……
이옵니다."

엷은 웃음을 지으며 그 의문에 대답했다.

고개를 끄덕이는 소라.

"그렇다면 그것이 의미하는 바는──"

시로에게 눈짓.

"……UTC 6/20 04:28…… 플럼……『저희 종족을 구해
주세요오!』……."

설치류처럼 조그만 입으로 생선을 먹으며 시로가.

──플럼의 첫 대사를 '재생했다'.

"이게 거짓말이 아니라면『저희 종족』── 다시 말해 담피
르를 구해달라는 거고."

그것은 곧──

"담피르──만을── 구해달라는 것── 자, 그 방법론은?"

눈을 유리구슬처럼 동그랗게 뜰 수밖에 없는 스테프를 내버
려둔 채 소라는.

손으로 만지작거리던 꼬치를── 해변에 쪼그려 앉은 플럼
의 바로 곁에 던져 꽂았다.

"자, 이제 판단재료는 전부 갖춰졌지?"

하나── 또 하나, 잇달아 꼬치를 던져 꽂는다.

"의문은 세 가지. 결론은 하나."

합계 세 개의 꼬치가 박힌 모래밭을 바라보며 소라가 말했다.

"——마음의 준비는 됐냐, 플럼?"

그렇게 선고한 소라에게 대답하듯.

——모닥불빛과 붉은 달, 별빛만이 비추는 가운데.

——요사스러운 네 쌍의 눈이 각자 독특한 빛을 뿜어냈다.

처음으로 움직인 것은 무녀.

"——와 게임의 이중성에 대해선 언급을 피했을까?"

무녀가 던진 꼬치는 바람 가르는 소리를 내며 소라의 첫 번째 꼬치를 맞춰—— 두 쪽으로 갈랐다.

"거짓말을 할 수 없으니까."

대답한 소라의 말을 받듯 움직인 것은 지브릴.

"왜 반하게 만드는 마법이 있는데 도움을 청하였을지요?"

지브릴이 던진 꼬치는 소닉 웨이브를 수반하며 소라의 두 번째 꼬치를 맞춰—— 부수었다.

"플럼은 거짓말을 할 수 없으니까."

대답한 소라에 이어 마지막으로 움직인 것은—— 소라의 무릎 위에 있던 시로.

"……애초에…… 왜—— 거짓말을 하면…… 안 됐던, 걸까."

시로가 던진 꼬치는 호를 그리며 소라의 세 번째 꼬치 한복판을 맞춰—— 이어졌다.

"거짓말을 하면── 들키니까."

──그렇다.

"이게 '경마' 라면 잊어서는 안 될── 마권을 산 말이 서로 달랐던 거야."

세이렌이 산 것은── 여왕의 마권.

담피르가 산 것은── 소라 일행의 마권.

두 가지 게임. 두 가지 의도.

그리고 이상의 모든 요소로 판단컨대.

결론은, 그렇다── '단 하나' 였다.

"세이렌은 '깨어나지 않는 여왕 게임' 을 이용해 '이마니티 를 먹이로 삼으려' 했다."

"엑────!"

놀란 것은 스테프뿐이었다.

세이렌은 소라가 처음 말한 대로.

필승이라고 시치미를 뗀 게임에 소라와 시로── 이마니티 전권대리자를 유인하여.

종족의 위기를 새로운 '번식재료' ── 이마니티를 얻어 회 피하고자 했다.

그러나──

"담피르는 그걸 다시 이용해 세이렌을 배신하고── '담피 르의 해방' 을 꾀했다."

그렇다── 플럼은 여왕을 반하게 만드는 일조차 정말로 실 행하려 했다.

그러나 아밀라는—— 그렇지 않았던 것이다.

"워비스트가 있을 때는 거짓말을 할 수 없다, 그러나 두 가지 의도가 있으니 친실도 말할 수 없다."

여전히 스테프만이 말없이, 그저 입만 벌리고 있었다.

그러나—— 여기에 타임을 걸듯 소라가 손을 들었다.

—— '진짜는 지금부터' 라고 하듯.

"자, 그럼 다시 기억을 떠올려볼까. 여왕의 게임에 이긴 경우 얻을 '상금' 은?"

재미나는 듯 그렇게 플럼에게 웃음을 지은 소라가 시선을 움직였다.

그리고—— 달빛 아래, 요사스러울 정도로 날카로운 네 쌍의 눈이 말했다.

"아밀라—— 세이렌이, 여왕이 눈을 뜨는 것보다도 현상유지를 원할 만한 조건에?"

요염한 황금색 눈으로 무녀가 슬며시 웃음을 띠고.

"플럼—— 담피르가 얻으면 '해방' 되리라 판단할 만한 것이옵고요?"

무기질적인 호박색 눈으로 지브릴이 조소를 머금고.

"……세이렌의, 존속이 달렸고…… 담피르의 권리…… 되찾을 수 있는 거……."

무감동하게 홍옥색 눈동자로 시로가 동정하는 미소를 짓고.

순서대로 들려온 세 마디 말을. 흑요석 같은 눈으로, 소라가.

무표정하게── 정리했다.

"여왕이 걸었던 것은── 『자신의 천부』…… 정답이지?"

──플럼은 고개를 늘어뜨리고, 스테프는 흠칫 숨을 멈추었다.

현 여왕이 잠든 당시. 그녀는 아직 여왕── 다시 말해 '전권대리자' 가 아니었다.

그러나 지금은 사정이 달라졌다.

지금은 그 '내기' 에 대한 승리조건이 충족된다면── 세이렌의 모든 것.

──종의 피스를 포함한, 말 그대로 '모든 것을 손에 넣는다' 는 뜻이 된다.

그러나 전율하는 스테프를 내버려둔 채 소라는 다시 쓴웃음을 짓더니.

대수롭지도 않다는 듯── 귀를 의심할 만한 소리를 입에 담았다.

"그것까지는 바다에 오기 전에 알아냈지만서도."

"──네?"

"서도…… 사실 확증은 없었거든. 그래서 오셴드에 가보기로 했던 거지."

확인을 구하는── 그러나 놀리는 듯한 목소리로 말하는 소라.

"기왕 바다까지 왔으니 즐겁게 놀았다 이 말씀── 다시 말해."

그리고 한껏 추잡한 미소를 플럼에게 보내며.

단숨에── 남은 모든 트릭을 밝히고자── 주워섬겨댔다.

"땡볕의 바다에 너를 끌어내 약하게 만들고,

무녀님에게는 지브릴과 노는 척하게 만들어 수압으로 '혈괴'를 위장할 수 있는지 검증시키고,

동시에 지브릴에게는 원양까지 나가 오센드의 위치를 확인하게 하고,

'혈괴'의 피폐는 무녀님을 시로더러 밤까지 폭신조물거리게 해 회복되길 기다리고,

함정의 가능성이 높은 '마중용 배'는 기다리지 않은 채 지브릴의 공간전이로 날아가고,

플럼이 우리에게 수중호흡 마법을 걸고 싶어도 그러려면 세이렌의 피를 보충해야 하는 상황을 만들고,

피를 보충하기 위해 우리에게서 떨어지도록 만들어 그 틈에 지브릴을 시켜 가져온 대기는 압축보존하고,

지브릴을 시켜 무녀님에게 네 수중호흡 마법이 통하지 않도록 방해하고,

해저에서도 워비스트의 오감을 최대한 쓸 수 있는 상황에서 아밀라를 만났다,

──뭐 그런~ 말씀. 눈치챘어?"

…….

…………──

──플럼도, 스테프도 그저 아연실색해 할 말을 잃었다.

그러나 아랑곳 않고 소라는 그저 생선이 잘 구워졌는지 확인하며.

"게임을 개시할 때까지 '거짓말을 안 하는 건' 불가능해. 맹약으로 '모든 것'을 걸게 만들어야 하니까. 거짓말을 밝혀내려면 무녀님이── 네 수상쩍은 마법을 받지 않은 무녀님이 필요했지."

수중에서 호흡도 대화도 가능한 마법──

심지어 술자가, '적'이라는 확신이 든 플럼이라면 오감을 기만당할 가능성이 높았다.

모든 트릭을 다 밝힌 소라는,

"하지만."

다시 설명을 이었다.

"세이렌, 담피르가 서로 다른 말의 마권을 샀다── 하지만 한 가지 잊은 게 있잖아? 우리에게 모든 것을 걸게 하고, 우리 마권을 사게 해서 레이스랑 갬블에 참가시킨 건 그쪽이야 ── 우리도 마권을 가지고 있었다고."

──그렇다.

"────『너희 전원을 제치고 우리가 이기는』마권 말야."

"야, 정말 멋졌어, 플럼. 약자다운 훌륭한 전법이야. 역시 '십조맹약'에서 단숨에 힘을 잃은 종족답게 머리를 쓰던걸. 생각해봐. 담피르는 아밀라의 의도대로 이마니티가 '먹이'가 되어도 연명이 가능할 테고, 정말 여왕을 깨워서 세이렌을 부

흥시킬 수 있다 해도——"

진심으로, 아무런 사심도 없이, 소라는 손뼉을 치며 칭송했다.

"반하게 만든 건 네 마법이고 우리가 아니니까 상금은 네가 독차지할 수 있다 이 말씀."

——플럼이 게임 내에 참가한 이유까지 순식간에 간파하고 소라는 말을 이었다.

"미리 말해두겠는데 난 절대 아부를 하지 않는 사람이야. 진심으로 말하는데—— 멋진 전략이었어."

어떻게 흘러가더라도 자신은 득만 보는 상황을 만들어냈다.

심지어 자신은 거의 아무것도 하지 않고, 남에게 시켜놓은 채 결과만 얻는다.

그것은 그야말로 이상적인 승리. 그러나——

"넌 한 가지 놓친 게 있었어."

"——네?"

땅바닥만 보던 플럼이 고개를 들었다.

"눈치 못 챘어? 이번 문제는 네 속셈이 들켰던 게 아니야. 여왕의 게임에서 승리하면 얻는 진짜 '상금'을 감춰놓고 해방을 꾀했던 것도 아니고, 네가 무조건 확신했던 마법으로 여왕을 깨우지 못했던 것—— 그것초차 아니야."

——그리고 입술을 일그러뜨리더니.

한껏 기분 나쁜 음성으로, 소라가, 말했다.

"아밀라가, '무슨 일이 있어도' 우리는 여왕을 깨우지 못하리라 생각했다는 점이지."

"―――――……아."

플럼이 숨을 멈추었다.

그렇다. 그제야 모든 것이 설명되었던 것이다.

왜―― 이노가 게임을 공략할 수 없었는가――

플럼의 마법은 정상적으로 발동했다.

지브릴은 마법이 여왕에게 틀림없이 작용했다고 단언했다.

그래도 깨어나지 않았다.

그렇다면――

"여왕이 눈을 뜨는 조건은―― '반하게 만드는 게 아니야'."

――……빠드득.

플럼의 어금니에서 울리는 소리. 그러나 소라는 여전히 말을 이었다.

"아밀라는 그걸 알고 있었어. 안 그랬으면 네가 아무리 부추겨도, 세이렌에게는 치명적인 결과를 낳을 '네가 정말로 여왕을 깨우고 말 기회^{위험성}'를 주지 않았을걸―― 이제 알겠어?"

조소하는 듯한 웃음마저 지운 소라.

"네가 얕잡아봤던 세이렌^{아밀라}은―― 네 배신까지도 전략에 반영했던 거야."

"……――큭."

완전히 얕잡아봤던 세이렌에게까지 당한 것을 깨닫고 해변에 주저앉은 플럼.

그러나── 소라는 끝까지 추격타를 가했다.

"약자다운 전략, 멋들어진 책략, 하지만── 그래 봤자 벼락치기였지."

──그렇다.

약자의 지혜는 강자가 휘두른다 해서 진가를 발휘하지 않는다.

왜냐하면 그 근거가 되는 것은 비굴할 정도로.

──약함에서 태어난─── 두려움이기 때문에.

그리고 소라는 느닷없이 미소를 거두더니 진지한 표정으로 말했다.

"강자의 천적은 약자지만, 약자의 천적은 강자가 아니야──── 더 약한 자라고."

약자── 그 말을 한 몸에 드러낸 사내가 험악한 기세로, 플럼에게 다가가.

주저앉은 플럼에게, 쪼그려 앉아서 눈높이를 맞추고, 나직하게.

단적으로, 내뱉었다.

"바보임을 자각하는 바보는── 자기가 똑똑하다고 생각하는 바보보다 훨씬 버거워."

──누구의 이야기인지는 굳이 언급하지 않았으나,

"자── 체크다."

──오싹. 플럼의 낯빛이 사라졌다.

애초에 이 조건을 받아들일 수 있었던 세력은 소라네뿐이다.

그러나 그런 소라네 일행이 속셈을 모조리 밝혀내고 게임을 중단한 이상, 속수무책.

그러면 세이렌은 살아남기 위해 담피르의 '비장해둔 마지막 남성'을 먹을 수밖에 없다.

플럼의 배신이 확정되었으니 더더욱 세이렌은 그렇게 하리라.

──이로써 우선 담피르가 '외통'.

그러나 담피르가 멸망한다면 그다음에는 세이렌이 멸망할 차례가 올 뿐이다.

세이렌은── 이제 번식의 허락을 받을 누군가를 찾아야만 한다.

하지만 번식에 '목숨'을 요구하는 그녀들에게 호응해줄 방법은 전혀 없다.

──이렇게 다음으로는 세이렌이 '외통'.

연명할 방법은 무조건 항복에 따른── '가축화'뿐이다.

"플럼, 게임의 궁극적인 승리법이 뭔지 알아?"

등골이 오싹해지는── 악마 같은 웃음으로.

"── '부전승'이지. 딱히 여왕의 게임에 이기지 않더라도, 이로써 우리의 승리야."

그리고 플럼을 지옥 밑바닥에서 끄집어내는 듯한── 미소로.

"이마니티에게 '약자의 전법'으로 이기려 하다니, 내공이 달라── 뉴비들아."

——한 수.

단 한 수로 두 종족의 생사여탈권을 손에 거머쥔 사나이가.

으스스하게 웃으며 말했다.

■ ■ ■

"자, 그럼 개요는 알아들었겠지? 그런데……."

갑자기 안절부절못하는 소라.

자세히 보니 그의 무릎 위에 앉은 시로도 우물쭈물하는 것 같은데——

"아니, 마스터. 무슨 일이시옵니까?"

"——화, 화장실은 어디 있어?"

………….

조금 전까지 보이던 긴박한 분위기를 와해시키는 가엾은 표정으로 소라가 물었다.

"화장실……이라 하옵시면 이마니티가 배설을 하는 장소라는——"

"그거 말고 무슨 화장실이 있는데!"

그리고 느닷없이 주위의 멤버들을 손가락으로 척 가리키며 외치는 소라.

"그보다도 늬들은 대체 방광이 어떻게 돼먹은 거야! 하루 종일 바다에 있다가 해저에 있다가 한밤중의 해변으로 돌아와서 생선까지 먹었으면 보통 한계에 도달하는 게 당연한 거 아니냐고!"

"……빠, 빠야…… 시, 시로…… 이젠……흑."

눈물 어린 눈으로 호소하는 시로에게 무녀가 깔깔 웃으며.

"미녀는 그런 거 안 하는 벱이다. 느그들 맴은 이해 몬하겠다만 암 데서나 보고 오든가."

──지브릴은 그렇다 쳐도 무녀님은 '생물' 아니냐고──

그렇게 태클을 걸 여유조차 없는 듯 소라가 벌떡 일어났다.

"우, 우린 잠깐── 아니, 난 화장실, 시로는 꽃 꺾으러 다녀오겠어!"

갑자기 시로를 끌어안고 뛰기 시작하는 소라.

"……빠, 빠야── 흐, 흔들지, 마……."

"에잇, 해변이니까 '바다의 집' 정도는 어딘가에 있겠지! 어디냐!"

요란하게 뛰어가버리는 소라와 시로.

그 뒤에 남은 것은 썰렁해진 해변.

────……。

파도 소리와 모닥불에서 피어나는 불똥 소리만 울려 퍼지는 가운데.

"그라모 인자는 무조건 항복만 기다리믄 되긋네. 쪼매 피곤하기도 항께 먼저 돌아가도록 하까."

지친 듯 일어나 발을 돌려 떠나려 하는 무녀에게.

"자, 잠깐만 기다려 주세요! 이노 씨는 어떻게 되는 건가요?!"

그제야 상황을 겨우 따라잡은 스테프가 물고 늘어졌다.

──그렇다. 세이렌이 이마니티를 먹이로 삼으려 했다는 점은 알았다.

플럼이 이를 이용해 담피르의 해방을 꾀했다는 것도 이해했다.

이를 모두 간파하고 소라 일행이 한 수 위를 점했다는 점도 수긍했다.

그러나──

세이렌에게는 아직도 '하츠세 이노'라는 카드가 있다.

그 의문만이 해결되지 않았다고 목소리를 높이는 스테프.

그러나── 돌아본 무녀는.

달빛에 비쳐 한층 요염한── 요괴와도 같은 으스스한 웃음으로 말했다.

"암컷도 안 한다. 그 정도 가꼬 두 종족을 손에 넣는다믄── 싸게 산 거 아이가?"

그런 외교 카드는 '없다'고 단언하는 무녀를 보며.

스테프는 마침내 모든 것을 이해했다.

다시 말해── 이 이야기를 정리하자면.

'소라와 시로도, 무녀님도, 처음부터 누구 한 사람 구할 마음이 없었어──!'

소라와 시로, 무녀 일행은 미리 짜고── 두 종족을 '몰아넣을' 한 수를 얻었다.

그것 때문에. 겨우 그것 때문에. 이토록, 태연하게.

──이노를 소모품으로 삼았다니──!

"……그런 건…… 인정 못 해요."

"허어?"

황금색의── 문자 그대로 '인외존재'의 맹금류 같은 눈에 털썩 주저앉을 뻔하면서도.

허나 그렇다 해도── 스테프는 주위를 둘러보고, 쥐어짜내듯 소리를 높였다.

소라와 시로가 없는 에르키아에서 유일하게 스테프를 지탱해주었던 워비스트── 하츠세 이노.

겨우 2주라고는 하지만, 함께 게임을 하고 함께 에르키아를 재건하느라 분투했던 그는.

에르키아의 연방 구축에 크게 공헌하였으며, 그가 없었더라면 발판도 없었을 것이다.

동부연합에게도, 에르키아── 스테프에게도 값싼 인재는 아니었다. 하물며 다종족 병합을 위해 한 종족에서 희생자를 낸다면── 그 악영향은 헤아릴 수가 없다.

그런 자명한 이치를 무녀가 모를 리 없을 텐데도──

"하츠세 이노. 틀림없는 수완가였고, 동부연합 초기부터 내로 지탱해준 사내였제. 하물며 동부연합의 이익을 위해 죽으라카믄 '존명'이라 대답할 사나이── 값싸다고는 도저히 말 몬할 귀중한 인재지만── 마지막까지 커다란 전과를 올려주었제. 불만의 여지가 없는 사나이였제."

그렇게, 달을 올려다보며 아쉬워하듯 말하는 무녀도. 그러나.

그런 사람조차── 손해득실 감정으로.

그렇게나 쉽게 버릴 수 있다면──!

'나도 언제든 버림받을 수 있다는 뜻이 아닌가요── 누가 그런 사람을 신용하겠나요!!'

그렇게 격앙하는 스테프의 시야에.

계속 거리를 두고 쪼그려 앉아 있던 이즈나의 모습이 비쳤다.

──그렇다. 이즈나가 이 상황을 어떻게 받아들이겠는가.

자신의 할아버지가 희생됐는데. 이즈나를 생각하면 무녀도──

"이, 이즈나는, 이래도──"

──괜찮나요, 라고 말하려던 스테프. 그러나.

거리를 두고 앉아 있던 이즈나의, 무릎을 끌어안은 모습에, 말을 멈추었다.

어두워서 잘 보이지는 않는다. 그러나── 이즈나가 중얼거렸다.

"……영감도, 각오하고 했던 일이다, 요……."

모닥불에서 떨어져 달빛과 별빛만이 비추는 이즈나의 표정은 알아볼 수 없었다.

"……영감의 심장이랑, 냄새, 마지막까지 기분 좋은 소리랑, 냄새, 났다, 요."

그러나 이즈나의 떨리는 목소리가.

물기 어린 어조가── 어둠에 잠긴 해변에서도 여실히 표정을 드러내주었다.

"영감이 없어지는 건 싫다, 요……. 하지만, 이즈나 혼자 참으면 되는 거잖아, 요. 그래서── 그, 그래서! 더, 더 많은 사람을…… 구할 수 있다면, 요──!"

스테프의 뇌리에는 바다에서 펼쳐졌던 모습이 지나가고 있었다.

바다에서 한바탕 촌극을 벌인 후── 소라와 이노 중 누구에게 털 손질을 맡기겠느냐고 했을 때.

전에는 이노가 쓰다듬어주는 것을 싫어하던 이즈나가, 망설이지도 않고── 이노에게 갔다.

──그것이…… 마지막이 되리라 눈치채고.

이즈나는 처음부터 이 결말을 받아들였다.

워비스트의── 상식을 벗어난 오감으로, 이미 모두 다 의사소통을 마쳤던 것이다.

몰랐던 것은 스테프 한 사람── 그러나.

"──그래도 어떻게 슬프지 않겠어요."

"슬프지, 않다, 요──. 모르는, 게…… 있을, 뿐, 요."

이를 악물며, 토해내듯.

이즈나는 떨리는 목소리로 그 의문을 입에 담았다.

"……소라── 아무도, 안 죽게 한다고, 고통받지 않게 한다고 했다, 요! ……그런데, 그런데 왜── 이즈나는 고통스럽냐,

요? 이즈나가 이상한 거냐, 요……?!"

──뚝, 뚝.

어둠 속에서도 굵은 눈물을 흘린다는 것을 알 수 있는 이즈
나의 목소리.

그러나 스테프는── 오히려 머리에서 핏기가 가시는 것을
느꼈다.

하츠세 이즈나── 이 아이는 너무나도 어리다.

지나치게 말귀를 잘 알아듣고, 지나치게 순수하고, 지나치
게 똑똑하고── 지나치게 착하다.

그런 아이에게, 겨우 여덟 살 먹은 소녀에게, 하고 싶지도 않
은 게임을 시키고, 즐기는 데 대한 죄책감마저 심어주고, 대륙
영토라는 무거운 짐을 지웠다는 사실을, 스테프는 깨달았다.

──동부연합의 이 방식은── 어제오늘 시작된 것이 아님을.

──대를 위해 소를 잘라내는 것은── 늘 있는 일임을.

"이렇게 아이를 울려 성립된 것이 동부연합이었군요──.
상대할 가치도 없었어요."

──과거 다수의 부족으로 갈라져 분쟁을 반복했다는 워비
스트.

이를 겨우 반세기만에 통합하여 대국으로 끌어올렸던 수단
──.

그 일말을 언뜻 본 스테프는 무녀에게── 경멸까지 담아
말했다.

그러나 무녀는 그 시선을 정면으로 받아들이고, 대답했다.

"다수를 위해 소수가 희생되는 거는── 필요악도 아이고 필연이데이. 다들 사이좋게 지낸다는 입에 발린 소리 따위── ── 모두가 지 바라는 것만 주장해서 정치는 꾸려나가지는 게 아이라네······ 아가야."

······스테프는 반론할 수 없었다.

사실상 에르키아의 제후들을 상대하는 것조차 그랬으니까.

최대한 아무도 손해를 보지 않도록 노력해도, 완전한 평등 따위 도저히 불가능하다.

그렇게 주먹을 부르쥔 스테프에게, 이번에는 지브릴이 추격타를 가했다.

스테프의 주장을 이해할 수 없는지 순수한 의문이라는 표정으로.

"도라이양은 뭐가 불만이신지요. 멸망할 뻔했던 두 종족을 겨우 한 명으로 구제하고, 에르키아는 국력이 커졌으며 동부연합과의 연방구축도 다가왔는데── 이 이상 무엇을 바라는지요?"

──스테프는 여전히 반론할 수 없었다.

지브릴의 말은 이어졌다.

"설마 희생도 불만도 없이 세계를── 아니, 에르키아의 국경만이라도 탈환할 수 있으리라 생각하셨는지?"

"······································큭."

"아니면 그저──"

지브릴이 한층 도발적인 웃음을 지으며 말을 이었다.

"가까운 사람만이 고통받지 않았으면 하는—— 자기애와 이기주의의 극치였나요♡"

스테프는 이를 악물었다—— 자신도 안다.

겨우 한 사람의 희생으로 두 종족을 손에 넣었다.

그것은 곧, 내버려두었다면 멸망했을 두 종족을 구했다는 뜻이기도 하다.

이를 이노 한 사람의 희생과 비견할 수 없다고 생각한다면, 그것은——

"————그게, 뭐 어쨌다는 거예요……!"

그러나 스테프는 결연히 입을 열었다.

떨고 있는 이즈나를 한눈으로 보며, 오히려 뻔뻔스러울 정도로—— 외쳤다.

"이기주의이든 자기애든 부르고 싶으실 대로 불러도 좋아요. 그래도 이것만은 단언하겠어요! 이런 방식으로 전종족 병합 따위—— 있을 수 없어요!!!"

——논리적 근거 따위 없었다.

무녀와 지브릴의 말은 옳다. 아마도 틀림없이. 현실적이리라.

그러나 그렇다 해도 어째서인지, 스테프는 '틀렸다'고 확신할 수 있었다.

왜냐—— 그것은, 그렇다, 필경, 아마도—— '정론'이기 때문이리라.

두 사람의 말은 정론이다. 타당하다. 정공법이다.

──그러나, 애초에.

청공법으로 천종족 병합 같은 일이── 어떻게 가능하겠는가──.

■ ■ ■

손바닥을 싹싹 비비며 편안한 표정으로 돌아온 소라와 시로.

그러나 두 사람을 맞이한 것은 떠나가는 무녀와 무거운 분위기.

그리고── 찌르는 듯한 시선을 보내는 스테프였다.

"아──…… 뭐야, 분위기 왜 이래?"

"말하자면 도망친 거군요."

"──잉?"

"자알 알았어요. 이노 씨를 희생해 두 종족을 손에 넣는── ── 단순한 '공갈'이었군요……. 제가 사람을 잘못 봤어요! 그러고도 용케도 전종족 병합 같은 소리를 하셨네요!!"

목소리를 높이는 스테프. 그러나 소라는 머리를 긁으며 난감하다는 듯 시로에게 물었다.

"어, 저기. 시로야, 내가, 뭐 잘못한 거 있냐?"

"……오래 걸려서……?"

"오래 안 걸렸어! 작은 거였단 말야! 아, 아무튼 뭔진 모르겠지만 시원하게 일도 보고 왔으니."

──어흠 헛기침을 한 번 하고, 소라는 "이야기를 되돌려서."고 중얼거리더니──

"그럼 다시 한 번── 여왕님을 깨우러 행동하자고."

···········──에?

입을 딱 벌리는 일동. 그러나 이 자리에서 오갔던 이야기를 모르는 소라는 담담히 말했다.

"플럼의 마법 없이 우리가 진짜로 여왕을 깨워버리면, 담피르도 세이렌도 멸망하지 않고, 그걸 조건으로 이노도 되찾아오고, 한꺼번에 해결되는 거잖아── 아니, 애초에 그 게임은 어디까지나 '중단' 했을 뿐이지 '포기' 는 내 사상에 어긋나는 거라고. 그런고로 다시 시작할 텐데──"

아연실색한 일동을 내버려둔 채 소라가 턱에 손을 가져가며 말을 이었다.

"문제는 '여왕이 사실은 어떻게 해야 깨어나느냐 ──거든."

스윽── 날카롭게 플럼을 바라보며 소라가 말했다.

"뭐, 감은 대충 잡고 있지만── 그 초건을 아는 놈은 하나도 없어⋯⋯ 그렇지?"

"⋯⋯어, 네에⋯⋯."

"엑, 아무도 모른다니⋯⋯ 그게 무슨 소리예요?"

흘끔 이즈나를 보는 스테프.

조금 전까지 울고 있던 이즈나도 소라의 말이 신경 쓰이는

지 고개를 들고 주시한다.

주의 깊게 플럼의 반응을 살피며── 그리고 고개를 가로젓는다. 거짓말은 아니라고.

그러나 예상한 대답이라며 소라가 고개를 끄덕인다.

"세이렌은 마법을 쓸 수 없고, 담피르는 쓸 수 있잖아── 아는 놈이 있다면 오래전에 밝혀냈을걸. 아밀라도── '반하게 만드는 게임'이 아니란 점만은 알았을 테고."

"……어떻게 단언할 수 있어요?"

"여왕님이 잠든 건요오, 아직 여왕이 아니었을 때였어도…… 하지만 언젠가는 여왕이 될 입장이었거든요오……. 그런 분께서, 자신의 모든 권리를 걸겠다고 하시면…… 어떻게 되겠어요오."

그동안 그것을 알아냈다고 생각했던 플럼은 한숨과 함께 말했다.

고개를 끄덕이며 소라와 시로가 말을 이었다.

"그런 위험한 사실을, 당시에 아밀라 정도 되는 놈이 있었다면 은폐했겠지── 그리고 궁극의 은폐법은?"

"……아무도 진실을, 모르면…… 아무에게도, 알려지지……않아."

──그렇다. 다시 말해.

여왕의 게임을 클리어하려면.

잠든 여왕 본인 말고는 아무도 모르는 조건을 밝혀내야 한다.

그것이── '승리조건'이라는 게임이다.

불가능 게임이나 마찬가지다. 곤란의 극치라 해도 과언이 아니다.

그러나————

"정체가 '레알 연애 게임'이 아니라면—— 『　　』에게 패배는 없다!"

"……응……!"

힘차게—— 믿음직한 것인지 한심한 것인지 알 수 없는 주장을.

단언하는 남매의 모습에—— 조심스레 스테프가 물었다.

"……저, 저기요…… 소라. 이노 씨를 버렸던 게—— 아니었나요?"

"아앙~? 무슨 소릴 하는 거야, 이 스테프가."

——이름을 곧 매도의 말로 사용했다는 것조차 의식하지 못할 정도로.

소라에게서 돌아온 것은 명확한 '부정'의 말이었다.

"내가 어떻게 살아있는 문화유산 이즈나를 슬프게 만들겠으며, 이노—— 그 사나이 중의 사나이를 어떻게 내버려두겠어. ……스테프, 피곤한 건 어쩔 수 없지만 일어나서도 잠꼬대를 하면 안 되지?"

——연기가 아니라 정말로 이노의 주가를 폭등시켰던 것인

지 소라가 단언했다.

"게다가—— '또 올게.' 그리고 왔잖아? 아밀라는 이노에게 손대지 못해. 우리에게 게임을 재개시킬 유일한 카드인걸. 이노에게 손을 댔다간 정말로 '가축화' 말고는 모든 방법이 사라지는데."

"하지만! 하, 하지만 무녀님은, 이노 씨에게 '아무것도 안 한다'고 했는걸요——."

"그야 그렇지. 무녀님은 이노를 '검증'에 써먹었으니까. 나머지는 우리 일이고."

대수롭지도 않다는 듯 대답한 소라의 말에 스테프의 눈이 더욱 휘둥그레졌다.

그렇다. 무녀는—— '암컷도 안 한다'라고 말했다.

나머지는—— 소라와 시로가 '모두 손에 넣을' 테니까.

"무녀님은 목숨까지도 왔다 갔다 하는 힘인 '혈괴'를 연속으로 쓴 데다 소중한 부하까지 제공했어——. 이번에는 우리가 사력을 다할 차례잖아—— 말 그대로, 목숨을 걸고."

태평하게 내뱉는 소라, 태평하게 고개를 끄덕이는 시로.

그러나—— 슬쩍 등골이 서늘해지는 각오와 함께 이어지는 말에 스테프는 숨을 삼켰다.

"그게 바로—— '공동투쟁'이란 거잖아?"

아연실색하는 스테프의 옆을 휙 지나쳐 다가오는 조그만 그림자.

눈을 새빨갛게 물들인 이즈나가, 여전히 불안에 떨리는 눈으로 소라와 시로를 올려다본다.

"……영감을, 구하러 갈 거야, 요?"

이즈나가 우는 경위는 모르는 소라와 시로.

그러나—— 소라는 이즈나의 머리에 손을 얹고 힘차게 쓰다듬으며 웃었다.

"당연하지. 영감은 반드시 되찾을 거야—— '약속' 할게."

불안해하던 이즈나의 눈이 이번에는 시로를 향하고—— '확신' 의 대답을 받았다.

"……이즈나…… 빠야를, 믿어……."

이즈나가 모르는 것도 무리는 아니다.

그것은…… 시로밖에 모르는 일이지만.

오빠가—— 소라가—— '약속' 이라고 말했을 때 그 약속은.

'십조맹약' 따위 —— 발밑에도 못 미치는 —— 절대준수의 맹약을 뜻한다.

그러나——

"……빠야는, 절대…… 약속, 어기지 않아……."

그렇게 단언하는 시로. 이즈나는 다시 소라를 올려다보았다.

머리를 쓰다듬는 힘찬 손길—— 그 냄새를 쿵쿵 맡으며.

그리고—— 젖은 눈을 닦고 말했다.

"……응. 믿는다, 요."

"그려그려. 믿어봐라, 요."

그렇게 익살을 떠는 소라를, 조금 떨어진 곳에서 지켜보던 스테프.

그녀의 곁에는 지브릴이 있었다.

"죄송합니다, 도라이양. 조금 지나치게 놀렸습니다."

"……네?"

"어떻게 반응할지 호기심이 동하여 그만……. 하지만 도라이양의 말이 옳습니다."

—— '에헷 낼름'이라고 표현하고 싶어지는 얼굴로 호기심 중독자가 말했다.

그러나 스테프가 눈을 흘기기도 전에 지브릴은 표정을 다잡으며 말했다.

"두 분 마스터는 분명히 이 세계를 변혁하실 것입니다. 그러나 그 수단은——"

지브릴의 말이 이어졌다.

"그 어떤 기존의 수단으로도 불가능, 할 테니까요."

"…………………."

——그러면 여왕님을 깨울 조건을 밝혀낼 방법은 말인데——

그렇게 이어지는 소라의 말을. 스테프는 건성으로 듣고 있었다.

……그때 무녀와 지브릴의 말에—— '틀렸다'고 느꼈다.

그 이유를 찾던 스테프는—— 눈앞의 두 사람을 보고 마침내 이해했다.

소라는…… 시로는…… 저 두 사람은.

건실한 수단이라곤 도무지 쓰치를 않는 것이다.

'정론' 따위 코웃음을 쳐버리므로.

'상식' 따위 내팽개쳐버리므로.

그런 두 사람이—— 누구 하나 죽게 하지 않고 무혈로 전종족을 제패하겠노라 말했다.

그런 꿈같은—— 현실감 없는 말에 정론이 있겠는가.

——그러나 그것을 '해내고야 말 것'이라고 느끼게 만드는 뒷모습에.

그날 —— 대관식날 —— 스테프는 보았던 기분이 들었다.

아마도 곁에 선 지브릴이 본 것과 같은 것을——.

——이 세계의.

미래를 예감하고 가슴이 두근거렸으리라고…… 이해했다.

"아— 맞다, 스테프. 너 아까 그냥 넘어갈 수 없는 말을 했는데 말야."

"네?"

멍하니 듣던 스테프가 소라의 말에 정신을 차렸다.

"'이노를 희생해 두 종족을——'이라는 말. 우선 이노를 희생한다는 게 착각이고. 그다음에——"

그리고 다시 정신이 멍해질 만한 소리를 한다.

"두 종족이 아니야—— '세' 종족이라고 ♪"

………….
…………——에?

인터럽트 엔딩

등 뒤로 들려오는 그런 대화에.

어둠 속에서 달을 올려다보며 해변을 걷던 무녀가 중얼거렸다.

"……내한테 시험받고 있다는 거로── 저 사람 알아차렸을까……?"

아니…….

무녀는 자신의 중얼거림에 자조하듯 고개를 가로저었다.

알아차렸든 아니든, 저 사내의 행동은 변함이 없었으리라.

소라에게는 처음부터 이노를 버릴 마음 따위── 털끝만큼도 없었다.

그의 심장 소리는 처음부터 끝까지 한 치의 흔들림도 없이 기분 좋게 울리고 있었다.

──그렇다. 무녀는 소라와 시로를 시험했다.

무녀가 같은 처지에서, 같은 판단에 봉착했다면 어떻게 했을까.

아마도── 아니, 틀림없이 이노를 버리기로 했을 것이다.

뒤집어쓸 필요가 없는 위험성이기 때문이다. 하나의 희생으로 많은 것을 얻을 수 있기 때문이다.

그 이상을 바라는 것은—— '이상론' 이기 때문이다.

그리고 그런 이상론을 버린 것이.

——자신의 한계였으니까.

"……기대, 해바도 좋긋제?"

그 두 사람이라면 자신의 한계를 코웃음 치며 넘어서줄 것이다.

그런 확신을 바라고—— 이노를 구할지 버릴지를 시험했던 무녀는 눈을 감았다.

소라와 시로가—— 만일, 자신과 마찬가지로 '버렸을' 경우.

소라와 시로에게 자신의 한계 이상을 바라고 무책임하게 '시험했던' 자신을.

——목숨이 다하는 그 날까지 책망하기 위해, 일부러 하츠세 이노를 골랐다. 그러나——

"……참말로, 기대해 바도 좋을지 모르긋네."

이 상황에 이르러서야 무녀는 겨우 이해했다.

등 뒤에서 들려오는 소란—— 이마니티, 워비스트, 플뤼겔, 담피르까지.

——소라와 시로에게는 '종의 벽' 이라는 개념이 애초에 없었다.

"……저자들이라믄—— 맡기바도 좋을지도."

그렇게 가슴을 억누르고.

무녀는 가슴의 두근거림을—— 오래도록 잊었던 감정을 느끼며.

그저 피처럼 붉은 달을 올려다보고 중얼거렸다.

■ ■ ■

"지브릴."

"대령했나이다."

소라의 부름에 순식간에 뒤로 전이해 나타나는 지브릴.

"너는—— 여왕이 잠든 경위부터 깨울 조건까지 다 알고 있었지?"

플럼과 처음 만났던 그날, 이를 설명해준 것은 지브릴이었다.

"예—— 하오나 그것이 잘못되어 있었기에……."

책망을 들으리라 착각하고 고개를 조아리는 지브릴. 그러나 소라는.

"그게 아니고. 그 정보는 어디서 알았어?"

"저의 고향—— 아반트헤임이옵니다."

그리고 기대 반 어이없음 반으로 소라가 말을 이었다.

"……분명 플뤼겔들은 전 세계에서 책이란 책은 죄다 쓸어모았겠지?"

"예, 물론이옵니다 ♪"

참으로 자랑스럽게 지브릴이 고개를 끄덕였다.

그 얼굴에 조금 어이가 없어 쓴웃음을 지은 소라. 뭐 상관없다고 내심 생각하며 말을 잇는다.

　——여왕의 게임을 공략한다.

　아무도 모르는, 존재하지 않는 공략조건을 밝혀낼 방법은 그리 많지 않다.

　그러나—— 없는 것은 아니다.

　필요한 것은—— 무조건 정보. 그리고——

　"스테프. 넌 이즈나랑 힘을 합쳐서 선왕의 서재를 조사해 줘."

　"——네?"

　"에르키아의 옛 대륙영토는 세이렌의 해양면적하고도 인접했잖아. 그리고 동부연합의 게임 내용을 밝혀냈던 그 사람이 이웃나라에 대해 전혀 조사하지 않았을 것 같진 않아."

　당당한 우왕을 연기했던 사나이—— 구체적인 대답이 있으리라고는 생각하기 어려웠다.

　밝혀냈다면 여왕은 눈을 떴을 것이다—— 그러나——.

　"……해답은 없더라도 고찰은 남겨놨을 가능성이 높아."

　왕을, 할아버지를 믿는 소라의 눈빛에.

　"부탁해, 스테프."

　"——네. 마음 푹 놓고 기다려 주시어요."

　"……알겠다, 요."

　스테프와 이즈나는 나란히 고개를 끄덕였다.

"……어, 저기…… 그, 그럼 저희는 어떻게 되는 건가요
오……?"

"그렇지. 지브릴, 나랑 시로랑—— 그리고 플럼, 너도 데려
가야겠다."

"어, 네, 네에……. 에, 어디로요오……?"

"말했잖아? ——두 종족이 아니라 세 종족을 손에 넣겠다
고."

그리고 소라는 웃으며 말을 이었다.

"자, 문제입니다. 승리조건을 알 수 없는 게임을 밝혀내려
면, 과거에 치러졌던 여왕의 게임에 대해 하나라도 많은 기록
을 뒤져서 이를 비교 검증해 밝혀내는 것이 가장 확실한 수단
인데요—— 그러면 가장 많은 기록이 존재하리라 짐작되는,
우리가 갈 수 있는 곳이라면?"

…….

——한순간의 공백. 그리고.

쿵파다다다다닥!

두 가지의—— 그러나 반대 의도를 가진 소리가 울려 퍼졌다.

"마침내—— 마침내! 저희 플뤼겔을 다스릴 새로운 주께서
옥좌에 강림하시려는 것이옵니까—— 아아, 이토록 황송한
날이 이토록 빨리 찾아올 줄이야!"

"시이이이러어어어어어요싫어요오오오! 그런 괴물 소굴은
싫어요오오오!"

모래를 폭발시킬 기세로 무릎을 꿇으며 기도하는 지브릴과.

비명을 지르며 도망치려다 지브릴에게 붙들린 플럼이 발버둥 치는 소리.

그러나 그런 두 사람을 무시하고 소라는 시로의 손을 잡더니.

살짝 고개를 끄덕이며 말했다.

"자, 가자——— '아반트헤임'으로."

후기

크으~ 피곤하다ㅋ 이로써 완결!

사실은 개그로 썼던 차회예고를 정말로 하라는 소리를 들은 것이 시초였답니다.

원래 스토리 소재가 없었는데 말이죠 (← 야)

호의를 허사로 만들 수는 없어서 유행하는 소재에 도전해봤습니다ㅋ

이하 담당편집자가 여러분께 보내드리는 메시지——

담당 제2대 하드 S: "카미야 씨, 이런 조폭 같은 진행 좀 하지 마세요. 저자랑 일러스트가 동일인물이 아니면 한 달 더 연기했을 판이었어요. 그리고 인터넷 개그 복붙은 세 줄 정도로만 해 두는 편이 어떨까요."

——잘못했어요. 성실하게 할게요. 카미야 유우입니다.

다섯 달만의 『노 게임 노 라이프』—— 한 달 연기해 발매됐습니다.

우선 연기한 것에 대해 깊은 사죄 말씀 드립니다.

"반성하세요. 마리아나 해구보다도 깊이."

아울러 연기된 이유 중 하나는 담당자가 진행을 힘껏 착각했기 때문이기도 합니다.

"반성하고 있습니다. 맨틀보다도 깊이."

그래서 이번 『노 게임 노 라이프 4권』말인데요.

예고대로 라이~트한 분위기의 이야기로 가볼까 했습니다.

1권부터 3권까지 이어졌던 흐름은 일단 수습했으므로.

다음 전개를 위한 도움닫기도 겸해 느긋~하고 가볍~게, 와글와글 즐겁기만 한 4권——

……으로 해보려고 했는데. 왜 이렇게 됐담.

"개인적으로는 그 느긋~하고 가볍~고 라이~트한 분위기라는 말을 들었던 제1고가 탈고 시점에서 400페이지 오버였던 X 파일틱한 미스터리를 해설해주셨으면 하는데요."

……네, 그 점에 대해서는 구텐베르크 불연속면보다도 깊은 이유가 있답니다.

듣고 싶으세요?

"맨틀 하부보다도 깊은 이유란 말인가요. 들어보도록 하지요."

솔직히 말씀드리자면.

모 담당편집자님이 아내와 합작으로 만화화를 저지르지 않았나요?

그래서 제가 매달 일주일 이상 만화를 하게 되어서 사실상

── 만화가 업무로 복귀했거든요.

"…………어, 그게…… 그…….."

이어서 선대 하드 S 씨가 가져온 다른 시리즈를 쓰게 되었습니다.

이쪽은 뭐, 합작이니까 작업량이 그리 많지는 않지만요. 그런 수라장에서 작업용 머신이 망가졌고요. 새 머신을 사러 동분서주했더니 차에 치여서 뼈에 금이 갔어요.

마침 돈이 부족할 때라 위자료로 지갑이 두둑해졌으니 그건 뭐 좋지만요.

"……좋나요."

문제는 그다음인데, 담당자님이 대폭으로 진행을 착각해주신 덕에 원래 세 권으로 나누려던 플롯을 쪼개는 데 애를 먹어서 2분할이 한계였거든요?

그래서 400페이지. 하지만 그걸 그냥 2분할하면 구성에 문제가 생길 테고, 무엇보다 스토리가 달아오르질 않고── 해서.

앞서 말했던 상황 속에서 구성을 다시 짜 수정을 되풀이했던 것이었습니다.

어떤가요. 구텐베 어쩌고 면에 닿을 만한 깊이였나요?

"구텐베르크 불연속면이에요. 그 뭐랄까, 참── 힘드셨겠네요♡"

네에. 하지만 여기서 상당한 비율이 '인재'인 건에 대해 한 말씀♡

"그런 악마 같은 편집자가 다 있군요…… 무서운 업계네요……."

네에. 그런 말씀을 맨송맨송한 얼굴로 하는 악마가 있지요…… 무섭네요(떨리는 목소리).

——뭐, 인재는 그렇다 쳐도 여기에 쓰지 않았을 뿐 그 외에도 수많은 일이 있었지만요.

혈뇨가 나오기도 하고 의사에게 야단을 맞기도 하고 오랜만에 고기를 먹었더니 식중독에 걸리기도 하고.

……미리 말씀드리지만요, 이건 논픽션이거든요?

"카미야 씨, 진지하게 말씀드리는데 살풀이를 한번 하시는 게 좋지 않을까요?"

다녀왔거든요?

"……네?"

암 걸리기 전에 메이지 신궁.

걸린 다음에 후시미 이나리 대사.

올해는 카와사키 대사에 다녀왔는데, 갔다 오고도 이 모양이거든요?

안 갔으면 이미 피안의 기슭에 있지 않았을까요.

아, 그래도 작년 말에 통장정리를 해봤더니 레알 '0'이 찍혀 나온 걸 보면 삼도천 뱃삯도 없었겠네…… 뱃삯 없으면 어떻게 되는 거더라? 살아 돌아오던가?

"아뇨, 그런 구제 시스템은 없었던 것 같은데……."

그러면—— 그런고로 이번에는 이쯤 해서.

느긋~하고 극진~한(의미심장) 내용이 되었던 이번 권.

그걸 넘어서기 위해! 재가속해 찾아왔으니 부디 잘 부탁드립——

"아, 카미야 씨, 카미야 씨."

어, 아, 네. 왜 그러시나요, 마무리 지으려고 하는 판에.

"얼라이브 담당자가 콘티 아직~? 이라고 재촉하는데요."

…………

"그리고 특전이랑, 그리고 모 기획책자 원고랑, 그리고——

어라, 카미야 씨? 여보세요~?"

역자후기

일본어에 시니모노구루이(死に物狂い)라는 표현이 있습니다. 필사적으로, 죽음도 두려워하지 않고, 혹은 죽음을 각오하고 무언가에 매달리는 모습을 나타내는 말인데요, 책날개의 저자약력에서도 나왔던 게임 '오보로 무라마사'의 최고 난이도 '사광(死狂)'도 바로 여기서 나온 말입니다. 요즘 말로 하자면 불지옥 난이도라고나 할까요.

왜 뜬금없이 이런 말을 하는가 하면, 이번 마감이 정말 사광 급이었기 때문입니다. Orz

안녕하세요, 역자입니다.

지브릴의 전력 대비 5퍼센트 마법을 맞아 갈라져버린 바다처럼 스포일러라는 이름의 해저를 드러내는 후기이므로 아직 본문을 읽지 않으신 분은 1페이지로 전이해주시기 바랍니다…… 뭐라고 하는 건지 저도 잘 모르겠군요. 아무튼 스포일러 경고입니다.

그런고로 노겜노랍 4권 되겠습니다. 어째 지난 3권 예고편과는 상관이 있는 듯 없는 듯한 내용이 되었네요(미리 귀띔해드리자면 이 내용은 세이렌 편이 완결되는 5권에서 풀릴 겁니다). 약간 에로틱하게 시작하는 듯하다가 소라의 강철 같은 의지에 불발로 그치고, 라이트노벨 다운 바닷가 장면도 좀 나와 준 다음 두근두근 메모리얼(ˆˆ;)로 이어지는 그런 이야기였습니다.

 ……제가 써놓고도 무슨 이야기인가 싶네요. 이번 역자후기는 왜 이 모양이냐고 물으신다면 사광급 마감 때문에 맛이 가서 그렇다고 말씀드리(이하생략). 뭐 미쳐 죽을 것 같은 마감이었지만(그런 의미에서도 死狂이군요) 다른 때보다도 개그의 요소가 강해 번역하다 말고 가끔 혼자 키들키들 웃기도 할 만큼 작업 자체는 매우 즐거웠습니다. ‘슬~픔의~ 저편~으로~’가 나왔을 때는 그야말로 숨도 못 쉴 만큼 대폭소.

 하지만 그 후 이어진 소라의 ‘해답편’은 다른 의미에서 숨을 쉬지 못할 정도였습니다. 그때까지 나왔던 그 모든 헛짓거리 및 장난질이 전부 계산이었고 복선이었다는 사실에 말이죠. 이 세계가 무력이 금지되었기에 망정이지, 아니었으면 『 』은 이미 암살당했을 것 같습니다. 제가 적이라면 이런 제갈공명은 정말 상대하고 싶지 않을 테니까요.

 제갈공명 얘기가 나와서 말인데, 슬슬『 』과 같은 포지션을 가진 적 라이벌도 하나 나와주면 어떨까 싶네요. 라이벌이라기보다는 삼국지의 사마의 같은 캐릭터 말이죠. 능력은 거의 비등하면서도 늘 공명에게 한 수 미치지 못해 “기다려. 공명의 함정이다.” 이런 말이나 해야 하는 불쌍한 캐릭터. 물론 미인에 글래머에 안경에 타이트한 제복이 잘 어울리며 알고 보면 허술한 구석도 많고 그러나 나에게만은 따뜻한 누님……

　죄송합니다, 개인적인 취향이 마구 섞이는군요. 다시 한 번 말씀드리지만 사광급 마감 때문에 맛이 가서 그렇습니(이하 생략).

　하지만 이 세상 어딘가에 저를 남 몰래 사랑하는 미인에 글래머에 안경에 타이트한 제복이 잘 어울리며 알고 보면 허술한 구석도 많고 그러나 나에게만은 따뜻한 누님 캐릭터가 있어서 제가 그동안 썼던 역자후기를 꼼꼼히 읽어보며 스크랩해놓고 있다면 뭐야 그 스토커 무서워……가 아니고, 제가 역자후기에서 마감 얘기를 거의 하지 않는다는 것을 알 수 있을 겁니다. 그만큼 이번 마감이……

　……하——————…………… 슬슬 헛소리 할 아드레날린도 떨어져가네요…….

　그런고로 그만 접고 들어가서 자야겠……습니다만 다음 마감이…… 젠장! 왜 2월은 28일까지밖에 없나요. 모 로마 황제들이 밉습니다.

　그럼 저는 다음 권에서 뵙겠습니다.

2014년 2월
김완

「不可能ゲームをクリアするのに
"正論"なんて何の役にも立たん。
欲しいのは──そう、"狂気と一撃
される"そんな──"暴論"だ」

"불가능 게임을 클리어하는 데
정론 따위 아무 도움도 안 돼. 필요한 것은,
그래, 광기라고 일소될 만한 그런 ──폭론'이지."

「なら、託してみよおけ
あてが棄てた──夢の続き」

"그럼 함 맡아봐라.
내가 버렸던 ──꿈, 그 다음꺼정."

「にゃはは──ジブちゃんに
気に入られたからって、
勘違いか過ぎないかにゃ──人類種」

"냐하하──지브짱이 좀 챙겨준다고
착각이 너무 지나친 거 아니냥 ──이마니티?"

「……だから、みんな、
テトに、勝て……ない」

"……그러니까, 다들 테토에게, 못…… 이기지."

「なあ、ゲームをしよう。
俺らがこの世界をもっと面白くしてやる。
それが出来るかどうか──
──あんたは、どっちに賭ける？」

"이봐, 게임을 하자고.
우리가 이 세계를 더 재미있게 만들어 줄게.
그걸 할 수 있을지 어떨지 ──
댁은 어느 쪽에 걸겠어!?"

既知を未知へと変ずる"比翼の鳥"、
その手は複数の種へ──"天なる翼"にさえ、届くか？

기지(既知)를 미지(未知)로 바꾸는 '비익조(比翼鳥)',
그 손은 여러 종에게──'천익(天翼)'에게조차 닿을 것인가?

「ノーゲーム・ノーライフ５」
と、遠くないうちに出る、と思う（震え

'노 게임·노 라이프 5'
머, 머잖아 나올, 거예요 아마(떨리는 목소리)

단 하나의 어이없는 게임—
그러나 여기서 교차하는 숱한 '의도'

たった一つの馬鹿げたゲーム――
だがそこに交錯するは三つ四つの"思惑"

노 게임 · 노 라이프 4
게이머 남매는 레알 연애 게임에서 도망쳤답니다.

2014년 02월 25일 제1판 인쇄
2023년 05월 25일 제20쇄 발행

지음 카미야 유우 | **일러스트** 카미야 유우

옮김 김완

발행 영상출판미디어(주)
등록번호 제 2002-000003호
주소 07551 서울특별시 강서구 양천로 570 NH서울타워 19층
대표전화 032-505-2973

ISBN 978-11-5627-759-0
ISBN 979-89-6730-597-0 (세트)

NO GAME · NO LIFE 4
ⓒNO GAME · NO LIFE by Yuu Kamiya
Edited by MEDIA FACTORY
First published in Japan in 2013 by KADOKAWA CORPORATION, Tokyo
Korean translation rights arranged with KADOKAWA CORPORATION, Tokyo.

이 책의 한국어판 저작권은 영상출판미디어(주)에 있습니다.
저작권법으로 한국 내에서 보호를 받는 저작물이므로 무단 전재와 무단 복제를 금합니다.

구매 시 파손된 도서는 구매처에서 교환하실 수 있습니다.
기타 불편사항, 문의사항이 있으신 독자님께서는 노블엔진 홈페이지
[http://novelengine.com] 에서 Q&A 게시판을 이용해 주시기 바랍니다.

노블엔진(NOVEL ENGINE)은 영상출판미디어(주)의 라이트노벨 및 관련서적 브랜드입니다.

카미야 유우 작품리스트

◆

MF문고J 신인상을 수상한 하트워밍 스토리!

넌 외톨이가 아냐!

1

초판한정 특별부록
고급 일러스트 책갈피

Illustration : Naruse Hirofumi
© Renji Koiwai 2011

무슨 이유에선지, 어떻게 된 일인지, 고등학생인데,
열다섯 살인데,
——아빠가 되었다.

우연한 사고로 로리콘 의혹을 받게 된 고등학생
유다이. 하지만 사실은 완벽한 오해, 유다이는 그저
소꿉친구 시오리와 함께 미아가 된 소녀 리리(5세)를
키우고 있을 뿐이다. 리리의 아빠와 엄마가 된 유다
이와 시오리. 그리고 그 주위에는 초S와 초M, 순진한
반장과 스토커가 모여드는데……?

신세대 론리 보이 미츠 론리 걸
러브 코미디, 슬슬 개막!

코이와이 렌지 지음 | **나루세 히로후미** 일러스트 | **정호욱** 옮김
청춘의 상상, 시동을 걸어라!

돈도, 사랑도, 이용은 계획적으로!

아가씨께서 수상쩍은 일을 꾸미고 계십니다
1

초판한정 특별부록
고급 일러스트 책갈피

Illustration : zerokichi
© Tohru Takasaki ©Minoru Kurokawa
/PUBLISHED BY KADOKAWA CORPORATION ENTERBRAIN

인외(人外)의 왕을 거느리고 모래를 조종하는 이능력자 『모래의 왕』 니이미 쇼타로는…… 가난했다. 파격적인 보수에 낚여서 세계적인 재벌 당주의 호위로 부임한 쇼타로는 깜짝 놀란다. 시키시마 재벌의 당주는 8년 전 헤어졌던 소꿉친구, 키라였기 때문이다! 함께 가난에 시달려왔던 소녀의 아름답게 성장한 모습과 변함없는 미소에 기뻐하는 쇼타로. 하지만 키라는 시키시마 재벌을 '망하게 만들려는' 터무니없는 계획을 꾸미고 있었고, 쇼타로에게도 협력을 요청하는데——!

둘이서 세상과 맞서는 호화현란 액션 러브코미디 개막!

타카사키 토오루 원작 | **쿠로카와 미노루** 지음 | **제로키치** 일러스트 | **이경인** 옮김

청춘의 상상, 시동을 걸어라!

전운이 감도는 그 긴박한 순간——시엔의 딸, 제로원 등장?!

검술학교의 연애사정

4

◆

초판한정 특별부록
특제 브로마이드 + 고급 일러스트 책갈피

검후劍后 아리시아를 노린 비원습격사건 이후——검산이 흔들리고 있다.

검후와 검성은 습격당했고, 검술학교도 제대로 기능하지 못한다. 거기다 시엔은 자책감으로 힘을 제어할 수 없게 되고 말았다. 기계교단과의 전운이 감도는 정세 속에서 모든 소드링커들은 분노와 혼란이 섞인 흉흉한 기세를 가다듬는 수밖에 없었다.

그렇게 모두가 불안해하는 그때, 전세계의 전파를 타고 기계교단의 교주教主가 선언한다.

[〈우리 기계교단은 검산이 24시간 안에 전면 항복할 것을 요구한다. 그렇지 않으면 검산에 대한 '최종 해결책'을 행동에 옮길 것이다.〉]

그 오만한 발언에 나루를 필두로 하나씩 불안요소를 봉쇄하던 중, 기계교단이 장치해둔 설비를 발견하고——그 안에서는 시엔과 같은 힘을 가진 어린아이, '제로원'이 나타나는데……?!

힘과 힘, 마음과 마음이
부딪치는 신감각 액션&러브 로망, 출진!

 elle 지음 | **cocorip** 일러스트
청춘의 상상, 시동을 걸어라!

그래서 나는 H를 할 수 없다

4

초판한정 특별부록

고급 일러스트 책갈피

© 2011 Pan Tachibana, Yosiaki Katsurai
/ KADOKAWA CORPORATION, Tokyo.

본론부터 말하겠습니다. 여러분께선 밤중에 여자가 잠자리에 들이닥친 적이 있습니까? XX한 영혼을 대가로 미소녀 사신, 리사라(아쉬운 가슴)와 동거 중인 고등학생, 료스케(통칭 에로스케). 현재, 료스케는 큐르(역시나 동거 중인 미소녀 사신, 로리 담당)를 앞에 두고 첫 경험&눈물을 질질 짜고 있습니다. "파자마를 벗으려는 소녀 앞에서, 이 세상의 모든 청소년이 꿈꾸는 상황 속에서, '배가 싸늘할 테니 조심해라' 하는 생각밖에 떠오르지 않다니!" "……또 나쁜 짓을 하다가 언니한테 성욕을 착취당했군요." 평소에 짐승처럼 보는 료스케에게 대시하는 큐르. 결정적인 대사는 '제 첫 경험을 당신께 바치겠어요' !?

이게 함정이 아니라면 충실한 리얼 라이프가 작렬할지도♡ 모르는, 억압계 에로스 코미디!

타치바나 판 지음 | **카츠라이 요시아키** 일러스트 | **엄태진** 옮김

청춘의 상상, 시동을 걸어라!

이것은 바다보다도 먼, 아주 오래 된 《동화》── 그리고 바보스러운 《실화》

노게임 노 라이프
4

초판한정 특별부록
특제 프로필 카드 2종 + 고급 일러스트 책갈피

© Yuu Kamiya
Illustration : Yuu Kamiya

일본 현지 4월 애니메이션 방영 확정!
한일 양국에서 끊임없이 증쇄하고 있는 화제의
그 작품!──
유명 일러스트레이터 카미야 유우의
라이트노벨 데뷔작, 그 네 번째 이야기!

게임으로 모든 것이 결판나는 세계 【디스보드】──
마법이며 초능력을 구사하는 수많은 적을 상대로 연전을
거듭하고도 무패를 관철한 최강 게이머 「 　」. 그러나 그런
두 사람도 클리어할 수 없었던 게임이 사실은 '두 가지' 있었
다…….
동부연합에서 우아한 휴가를 만끽하던 두 사람을 찾아온 것
은 흡혈귀 소녀 플럼. 한 종족의 위기를 구하게 된 소라와
시로. 그러나 그 게임의 내용은 바로 두 사람이 아직까지
클리어하지 못한 게임 중 하나, '레알 연애 게임'이었다──.
푸른 바다를 무대로 사랑의 꽃은 피어날 것인가!

**이번에는 라이~트하게 가는, 대인기
이세계 판타지 라이~~트한 제4탄……?**

카미야 유우 지음·일러스트 | **김완** 옮김
청춘의 상상, 시동을 걸어라!